Romeo en Julie

Jeanne Ray

Romeo en Julie

VERTAALD DOOR
MARGA VAN DEN HERIK

AMSTERDAM · ANTWERPEN

What's in a name? That which we call a rose
By any other word would smell as sweet.

Romeo and Juliet,
WILLIAM SHAKESPEARE

Archipel is een imprint van BV Uitgeverij De Arbeiderspers

Omslagontwerp: Marjo Starink
Foto omslag: Fotostock, Amsterdam

ISBN 90 295 3568 7 / NUGI 301

I

De eerste keer dat ik de naam Cacciamani hoorde was ik vijf. Mijn vader sprak hem uit en spuugde. Dat spugen had ik eerder gezien. Ik had gezien hoe mijn vader zijn tandpasta in de wasbak uitspuugde. Ik had hem eens zien spugen terwijl hij het gras maaide en beweerde dat hij zijn mond vol muggen had gekregen. Maar deze bijzondere manier van spugen, het spugen in verband met de naam Cacciamani, werd gedaan rechtstreeks op de cementen vloer van het achterkamertje van Roseman, de bloemenzaak van onze familie. Net zoals alles in het wereldje van mijn vader werd die vloer zorgvuldig schoongehouden, geen bloemblaadje raakte ooit die vloer en zelfs als kind herkende ik de buitengewone ernst van zijn gebaar.

'Zwijnen,' zei mijn vader, daarbij niet refererend aan wat hij met zijn vloer had gedaan, maar aan de naam die hem daartoe had gebracht.

Ik wilde dat ik me de rest van dit verhaal kon herinneren, hoe de Cacciamani's eigenlijk ter sprake waren gekomen, maar ik was nog maar vijf. Vijfenvijftig jaar later blijven nog slechts de hoogtepunten van dergelijke jeugdherinneringen over.

Commentatoren, de mensen die hun meningen uit het 8 uur journaal halen en de mensen van de opiniepagina van de *Globe* vinden het prettig om te zeggen dat haat aangeleerd is. Kinderen doen het weerzinwekkende, racistische gebrabbel van hun weerzinwekkende ouders na; elk bitter, verachtelijk stukje bekrompenheid wordt van generatie op generatie doorgegeven, als was het familiezilverwerk. Ik betwijfel of het zo eenvoudig is, want ik weet dat mijn eigen twee doch-

5

ters in deze wereld een paar dingen hebben geleerd waar ik geen verantwoordelijkheid voor wil nemen. Maar dan denk ik aan mijn vader en de glinsterende spuugdruppels op de vloer. Ik haatte Cacciamani met de hartstochtelijke vastberadenheid van een kind zonder zelfs maar te weten wat of wie het was. Ik besloot dat het om vis ging. Mijn vader, die bijna alles lekker vond, hield niet bepaald van vis, en dus nam ik aan dat het gesprek ongeveer als volgt moest zijn gegaan:

MIJN MOEDER: Howard, we eten vanavond heerlijke verse Cacciamani.
MIJN VADER: Cacciamani! (Spuug) Zwijnen!

De daaropvolgende jaren stelde ik me bleke, rubberachtige platvissen voor, de gevreesde Cacciamani's die blind over de bodem van de haven van Boston snuffelden. Mijn moeder was ongetwijfeld van plan ze te bakken en met een boter-citroensaus op te dienen.

Wanneer ik precies de overgang maakte van vis naar familie, van familie naar rivaliserende bloemenzaak, weet ik niet (nogmaals, dit was in het verre verleden). Het had nauwelijks invloed op mijn leven. Er kruisten geen Cacciamani's mijn pad, en toen dat wel het geval was moest ik erop worden gewezen alsof het een brandnetelstruik was waar ik in had kunnen lopen. We gingen niet naar dezelfde school. Hun zoon ging naar de katholieke school waar ze godsbeelden aanbaden en uniformen droegen terwijl mijn broer en ik de volstrekt normale openbare school bezochten.

Hun naam werd zelden genoemd en als het al het geval was dan ging dat gepaard met een grote uitbarsting van onverklaarbare woede waar ik graag aan meedeed. We waren een ruimdenkende familie, ons bewust van de recente vervolging van ons volk en daarom niet geneigd anderen te vervolgen. Zover ik weet was ons enige vooroordeel dat tegen de Cacciamani's. Het ging niet op voor andere katholieken of Italianen, alleen die mensen, die ellendige waardeloze vissen. Het kan heerlijk zijn om een vooroordeel te hebben, daarom zijn er natuurlijk zoveel mensen die er een hebben. Een vooroordeel is een simplificatie: elk lid van deze groep is precies hetzelfde en daarom hoef ik nooit over een van hen na te denken. Wat een tijdsbesparing! Natuurlijk bespaarde het me niet echt veel tijd want er waren toen maar drie Cacciamani's om te haten, een vader, een moeder en een zoon. Ik herinner me dat ik de moeder op zaterdag een aantal keren op Haymarket zag. Ze was mooi, groot en slank met zwart haar en rode lippen. Maar ik vond het een slecht soort schoonheid. Hun zoon werd volwassen, trouwde en kreeg zes kinderen waarvan de meesten op hun beurt trouwden en kinderen kregen. De Cacciamani-clan groeide gezwind en wat mij betrof deugden ze geen van allen, iets dat nog eens versterkt werd toen Tony Cacciamani met mijn dochter Sandy probeerde te trouwen toen ze op de middelbare school zaten.

Dus zo ben ik de Cacciamani's gaan haten. Nu wil ik vertellen hoe ik ermee opgehouden ben. Vijf jaar geleden begon ik mijn echtgenoot Mort te haten. Mort ging ervandoor met Lila; een achtendertigjarig bruidsmeisje dat bruidsboeketten probeert te vangen en dat hij op een bruiloft had ontmoet toen hij er bloemen bezorgde. Blijkbaar was hij haar op diverse bruiloften tegengekomen. Ze was min of meer een professioneel bruidsmeisje: veel vrienden, weinig afspraakjes. Daar gingen Mort en Lila. Toen wist ik hoe het was om zelf iemand om mijn eigen redenen te haten, hetgeen veel dieper gaat dan wanneer je namens een ander haat. Ik wist niet dat ik was opgehouden de Cacciamani's een kwaad hart toe te dragen. Er was geen bewust moment: ik haat Mort en dus schrap ik de Cacciamani's van de lijst. Ik had gewoon in jaren niet aan hen gedacht. En toen op een dag, terwijl ik een seminar genaamd: 'Hoe maak ik mijn kleine bedrijf winstgevend' in het Boston Sheraton bijwoonde, liep ik letterlijk een man tegen het lijf die een naamplaatje droeg waarop stond 'Romeo Cacciamani'. Waarschijnlijk zou ik zijn gezicht wel herkend hebben, maar ik zag de naam het eerst. Ik zette me schrap voor de woedegolf die vast en zeker zou komen. Ik zette me schrap en haalde diep adem, maar er gebeurde niets, helemaal niets. In plaats daarvan had ik deze gedachte: *Arme Romeo Cacciamani, zijn winkel moet ook slecht lopen als hij hier is.*

Hij hield zijn hoofd een beetje schuin en keek me met halfdichtgeknepen ogen aan. Ik denk dat Romeo Cacciamani een bril nodig had. 'Julie Roseman,' zei hij toen hij mijn naamplaatje las.

Hij was een aardig uitziende Italiaanse vent van een jaar of zestig. Hij droeg een geperste kakibroek met een witte polo waaruit bij zijn keel een toefje borsthaar stak. Geen gouden kettingen. Ik was zo verbaasd over **mijn** volslagen gebrek aan vijandigheid dat ik in lachen wilde uitbarsten. Ik wilde zijn hand schudden en dat zou ik gedaan hebben als ik geen bekertje hete koffie in mijn ene hand en enkele mappen met belastingspreadsheets en bedrijfsadviezen in mijn andere hand had gehad. 'Romeo Cacciamani,' zei ik verbaasd.

'Je naam was toch anders, is het niet? Roth?'

Ik knikte. 'Roth,' zei ik. 'Maar nu niet meer.'

Hij trok op een niet-onvriendelijke manier zijn wenkbrauwen op, alsof hij geschokt zou moeten zijn maar het niet was. Op dat moment vroeg ik me af of de Cacciamani's de Rosemannen nog steeds haatten. Ik wist dat Mort en Romeo er jaren geleden ook mee waren begonnen, maar nu was Mort weg, mijn ouders waren dood en mijn jongere broer, nauwelijks een Roseman te noemen, maakte meubilair van boomtakken in Montana. Dus bleven alleen ik en mijn dochters Sandy en Nora over. 'Zijn je ouders...'

'Mijn vader is...' hij staarde naar het geluiddempende plafond van de conferentiezaal alsof het antwoord daar te lezen stond, 'ik dacht elf jaar geleden overleden. Mijn moeder woont bij mij. Bijna negentig. Wanneer heb ik jou voor het laatst gezien?'

Zodra hij het had gezegd wist hij het antwoord op zijn eigen vraag weer. Ik zag de randjes van zijn oren rood worden. 'Vijftien jaar geleden,' zei ik en toen zweeg ik. Toen hadden wij elkaar voor het laatst gezien, maar het was niet de laatste keer dat ík hem had gezien. In de afgelopen jaren had ik Romeo vaak genoeg gezien, we waren elkaar gepasseerd in onze auto, ik was met mijn winkelwagentje het straatje bij Demoula ingelopen, waar hij zijn winkeltje had, en merkte dan net op tijd mijn vergissing om mijn wagentje direct een andere kant op te sturen. Je weet wat ze zeggen: tot ziens, maar niet heus. Voor zover ik wist had hij net zo hard zijn best gedaan mij te ontwijken. We woonden allebei in Somerville, nauwelijks een wereldstad maar groot genoeg om iemand jarenlang te kunnen ontwijken. We bezaten de enige twee bloemenzaken in de stad, dus het is duidelijk dat als een van ons beiden de bloemen voor een bruiloft of begrafenis leverde, hij de ander daar niet tegen zou komen.

'Hoe gaat het met Sandy?' vroeg hij.

'Prima,' zei ik. Hij was een beter mens dan ik. Ik was niet van plan naar zijn Tony te vragen.

'Is ze een beetje gelukkig?'

Ik haalde mijn schouders op. 'Je hebt zelf kinderen. Je weet hoe het gaat. Haar huwelijk is mislukt. Ze woont nu weer bij mij. Twee kinderen.' Ik voelde me opgelaten. Ik wilde zeggen dat alles geweldig met haar ging, dat ze heel gelukkig was en nooit een seconde spijt had gehad. Ik wilde het niet voor mezelf maar voor Sandy zeggen, die op zwakke momenten nog steeds om Tony Cacciamani treurde.

Hij krabde op zijn kruin waar nog steeds flink wat haar leek te groeien. 'Het was jammer,' zei hij, zowel tegen zichzelf als tegen mij. 'Heel jammer. Wat mijn zoon nou met een Roseman moest...'

'Een Roth,' corrigeerde ik hem. 'Sandy was een Roth.'

Romeo glimlachte. 'Wat mij betreft zijn jullie allemaal Rosemannen. En je man was de ergste Roseman van allemaal.'

Dat was in ieder geval een antwoord op die vraag. We vochten niet in ons eentje. 'Mijn man leek alleen maar een Roseman. Hij bleek uiteindelijk anders te zijn.'

'Het spijt me dat te horen.'

'Ik ben nu beter af,' zei ik, hoewel mijn aanwezigheid bij deze seminar van hopeloosheid het tegendeel bewees, in ieder geval wat de zaak betrof. 'Hij is iemand anders tegengekomen.' Ik weet niet wat me bezielde om dit te zeggen, maar toen ik het eenmaal had gezegd was het te laat.

Romeo knikte bedroefd, misschien dacht hij dat hij altijd al had geweten wat voor kerel Mort was of misschien had hij medelijden met me, hoe dan ook ik wist dat het tijd was om op te stappen. 'Ik moet ervandoor,' zei ik en probeerde op mijn horloge te kijken. 'Ik wil bij het reclameforum kunnen zitten.'

Hij liet me hoffelijk gaan en zei iets in de trant van dat het leuk was geweest me weer te ontmoeten. Had hij altijd al zo'n aardig gezicht gehad?

'Romeo?' zei ik. Ik geloof niet dat ik hem ooit eerder bij zijn voornaam had genoemd. Het was altijd 'meneer Cacciamani' hoewel we even oud waren. Ik had nooit te familiair willen overkomen en bovendien vond ik Romeo een belachelijke naam voor een volwassene. Hij bleef staan en draaide zich naar me om. 'Ik heb in de krant over je vrouw gelezen. Het spijt me voor je.' Het was zo lang geleden, drie, vier jaar? Ik weet dat het na het vertrek van Mort was. Ik had op zijn minst een kaartje moeten sturen.

Hij knikte vaag. 'Dank je.'

'Ik kende haar niet. Ik bedoel, ik denk dat ik haar alleen die ene keer heb ontmoet, maar ik had veel respect voor haar. Ze leek me een aardige vrouw.'

'Camille was een aardige vrouw,' zei hij droevig en toen draaide hij zich om.

Ik hield op met luisteren toen de voorzitter van het forum verkondigde dat het voor iedere kleine zakenman noodzakelijk was om tien procent van zijn of haar bruto winst aan reclame te besteden. Een geweldig idee, tenzij je van plan was om jezelf ook af en toe salaris uit te betalen en zo nu en dan een avondmaaltijd te nuttigen. In plaats daarvan gingen mijn gedachten terug naar wat Romeo had gezegd over dat Mort de ergste Roseman van allemaal was. Dat was precies in de roos geweest en ik vroeg me af hoe een Cacciamani zoveel inzicht in mijn leven kon hebben. Mijn hele jeugd werkte ik in de zaak van mijn ouders. Als klein meisje al zat ik in het achterkamertje de doorns van de rozen te plukken of bloementape rond de stelen van corsages te binden. Toen ik ouder werd moest ik van mijn vader achter de kassa zitten en toen ik studeerde kwam ik 's morgens vroeg naar de winkel om de bloemstukken voor die dag te maken. Ik was dol op de winkel toen ik klein was, op de koele donkere wereld van de koelcel op een hete zomerdag en het heldergeel van een afrikaantje in februari. Ik hield van de enorme hopen weggegooide bladeren in de vuilnisbakken en de onveranderlijk duizeligmakende geur van gardenia's. Maar toen ontmoette ik Mort en hij begon rond te hangen in de winkel, heel behulpzaam, heel beleefd. Na ons tweede afspraakje begon mijn moeder te vragen wanneer hij met me ging trouwen. Alsof hij al jaren achter me aanzat en ik op het punt stond mijn kans voorbij te laten gaan. Ik was al eenentwintig, en bijna een oude vrijster. Zes maanden later vroeg Mort aan mijn vader of hij met me mocht trouwen, wat als charmant en ouderwets had kunnen worden betiteld, maar niemand vroeg mij iets. Mij werd het simpelweg meegedeeld. 'Julie, Julie!' zei mijn moeder toen ik de winkel binnenkwam en mijn vaders ogen glinsterden van de tranen en

Mort stond daar als een idioot te grinniken, alsof ik nu wel heel trots op hem zou zijn. Het duurde zo'n tien minuten voordat ik erachter kwam wat er in godsnaam aan de hand was. Ze hadden me verkocht, zo voelde het in ieder geval. Mijn broer Jake wilde niet in de winkel en in Mort hadden ze een verantwoordelijke zoon gevonden om de Rosemanzaak voort te zetten. Ik was slechts de geleider van de transactie. Maar dit is niet de waarheid. Nu spreekt mijn herinnering. Ik vertel het begin van het verhaal terwijl ik degene ben die weet hoe het afloopt. Ik weet zeker dat ik toen gelukkig was. Ik vermoed dat ik toen van Mort hield.

Ik maakte mijn eigen boeket voor de bruiloft. Mijn ouders deden de rest, maar het boeket was van mij: witte tuberozen, witte hortensia's, witte pioenrozen en een paar oranjebloesems voor geluk. Het was het mooiste dat ik ooit had gemaakt, mooi genoeg voor Grace Kelly, en ik wikkelde een zijdeachtig wit lint om de stelen. Aan het eind van de receptie liep ik enkele treden van het trapje voor in de eetzaal op. De band speelde 'Satin Doll' en iedereen gilde: 'Gooien! Gooien!' Al mijn vrijgezelle vriendinnen waren er, Gloria, mijn eerste bruidsmeisje, en alle andere bruidsmeisjes; een mooie halve cirkel van gelukwensers. Ik draaide hen mijn rug toe en met al mijn kracht gooide ik mijn prachtige boeket over mijn hoofd. De bloemen zeilden zo uit mijn handen. Het duurde bijna vijfendertig jaar voordat ik ze weer terug kreeg.

Mort wilde niet dat ik in de winkel werkte. Dat was de eerste regel toen we terugkwamen van onze huwelijksreis. Mijn ouders waren het ermee eens. Ze konden zich maar één werknemer permitteren en aangezien Mort de winkel vroeg of laat toch zou overnemen, was het belangrijk dat hij het vak zou leren kennen. Ik kon mijn academische opleiding gebruiken om als secretaresse bij een assurantiebedrijf te gaan werken, waarbij ervan uitgegaan werd dat ik zou ophouden met werken als ik zwanger werd. Niemand verdoofde me. Niemand zette een pistool tegen mijn hoofd. Het ging gewoon zo en ik vond het toen niet eens vreemd. Een huwelijk, baby's, lange middagen doorbrengen met overhemden strijken en soaps kijken, dat was alles waar ik naar verlangde. Mort werd de Roseman en ik werd zijn vrouw. Wie zou geloofd hebben dat het mijn naam was die op de winkelruit stond en niet de zijne? Als men ons thuis belde en naar meneer Roseman vroeg reikte ik hem gewoon de hoorn aan. Het was een prachtige naam, een bloemistennaam, waarom zou hij hem niet willen?

Mijn ouders gingen gerustgesteld met pensioen in de wetenschap dat Mort er was en ze stierven voordat hij bewees dat ze zich vergisten. Daar ben ik blij om. Hij heeft mijn ouders in ieder geval geen pijn gedaan. Zeggen dat ze van hem hielden als van een zoon zou een understatement zijn en ik denk dat zijn vertrek voor hen een nog grotere klap zou zijn geweest dan voor mij. Maar ondanks al hun liefde en onvoorwaardelijk vertrouwen deden ze iets vreemds: ze lieten mij de winkel na. Mij. Alleen aan mij, alles op mijn naam. Mort ging wekenlang tekeer. 'Wat een klap in mijn gezicht!' zei hij. 'Wat een verraad!' Ik begreep niet waar hij het over had. Ze hadden de winkel toch niet aan mijn broer nagelaten, die het spaargeld en de opbrengst van de verkoop van hun huis had gekregen?

'Hij is van ons,' zei ik. 'Mijn naam, jouw naam, wat maakt het uit?'

Mort zei dat het wel iets uitmaakte, heel veel zelfs en weldra zat hij achter me aan omdat hij de winkel op zijn naam wilde laten overschrijven. Hoewel ik in mijn leven heel veel domme dingen heb gedaan, doet het mij genoegen te kunnen zeggen dat dat niet een van die dingen was. Hij mopperde. Ik zocht uitvluchten. Hij vertrok. Het bleek dat Lila haar oog op de winkel van mijn ouders had laten vallen. Mort en Lila's bloemen. Van de gedachte alleen al word ik nog slap in de benen.

In vijfendertig jaar kan veel veranderen. Terwijl ik car-poolde en Nora en Sandy naar balletles en tapdansles bracht, vonden er veel ontwikkelingen plaats in de wereld van de bloemen. Ik was vrijwilliger bij een centrum dat vol-wassenen leerde lezen en schrijven, ik oefende op boven-hands serveren en perfectioneerde de kunst om een kip met verse kruiden te vullen, maar ik leerde niets over de zaak. Natuurlijk ging ik wel af en toe naar de winkel. Ik bracht dingen of haalde dingen op. Ik haalde een bos rozen als we een etentje hadden. Maar op een dag stond ik raar te kijken toen ik zag dat de kassa was vervangen door een computer terwijl niemand me dat verteld had. Verschepen, factureren, vervoeren, belastingen, mijn onwetendheid was oneindig. Het was me nooit opgevallen dat we nu ook lint en vazen verkochten. Er hing zelfs een rekje met wenskaarten naast de deur. Mort liet geen handleiding achter toen hij met Lila naar Seattle vertrok. En ook niet veel geld. Hij vertrok ge-woon.

Dit zou een prachtig verhaal zijn als de onrechtvaardig behandelde vrouw de zaak uit het slop had gehaald en za-kenvrouw van het jaar was geworden. Ik dacht dat ik binnen de kortste keren de bloemstukken voor de lobby van het Ritz-Carlton zou maken. Maar dat gebeurde niet. Ik bleef een poosje in bed en toen ik opstond vond ik allemaal ver-lepte bloemen en onbetaalde rekeningen. Ik kon de winkel niet verkopen. De winkel was alles voor mijn ouders geweest en hoe weinig ik ook over bloemen wist, ik wist nog minder van andere dingen. Ik ging aan het werk.

Vijf jaar later gaf ik geld dat ik niet bezat uit aan een se-minar waar ik te horen kreeg dat ik tien procent aan reclame moest uitgeven. Ik dacht nog steeds dat ik hier cruciale in-formatie zou krijgen. Als ik maar wist wat ik moest doen zou alles goed komen. Mijn heupen werden stijf in het klap-stoeltje en mijn koffie was koud. Om me heen zaten *losers* zoals ik ijverig aantekeningen te maken. Gelukkig had ik een plekje achter in de zaal zodat ik zonder al te veel op te vallen kon wegsluipen. Ik duwde de zware metalen branddeur open en glipte de gang in. Die was leeg met uitzondering van een oranje bankje waarop een zekere Romeo Cacciamani zat.

De eerste keer dat ik Romeo in het Sheraton zag was ik verbaasd dat ik hem niet langer haatte. De tweede keer dat ik hem zag was ik aanzienlijk verbaasder om te ontdekken dat mijn hart opsprong alsof er een trampoline in mijn borstkas stond. Wachtte hij op mij?

Hij keek eerst naar mij en toen naar zijn handen. 'O,' zei hij, teleurgesteld. 'Je hebt al koffie. Ik wilde je vragen of je een kopje koffie wilde.'

Ik keek naar hem en toen naar het witte bekertje in mijn hand. Er stond geen vuilnisbak dus begroef ik het in het zand van een brandschone asbak. 'Ik wil graag een kopje koffie,' zei ik.

2

Romeo Cacciamani hield de deur van het Boston Sheraton in het centrum van de stad voor me open en ik stapte een prachtige dag aan het eind van de lente in. Ik had me talloze dingen af moeten vragen: Waarom heeft hij me gevraagd koffie met hem te gaan drinken? Wil hij praten over wat er met de kinderen is gebeurd? Wil hij over zaken praten? Gaat hij me vertellen dat hij me haat volgens de prachtige traditie van zijn familie? Maar om de waarheid te zeggen dacht ik alleen, zou Mort het niet besterven? Alsjeblieft, God, laat Mort dit weekend in Boston zijn. Laat hem in de koffieshop aan de overkant zitten en me zien glimlachen en me mijn haar los zien schudden in het zonlicht terwijl Romeo Cacciamani aandachtig toekijkt. Laat Mort alles zien en denken dat we dolverliefd zijn en dat ik van plan ben om alles tot de laatste bloesem op naam van deze man te zetten. Mort zou geen snellere dood kunnen sterven.

'Wat dacht je van *Starbucks?*' zei Romeo, de straat inkijkend.

Ik zei hem dat ik het prima vond.

We vonden een tafeltje tussen studenten en werkloze schrijvers die dachten dat koffieshops bibliotheken waren. Romeo betaalde voor mijn grote cafeïnevrije koffie met melk en nam zelf een kop zwarte koffie. Ik merkte dat ik wilde dat ik ook zwarte koffie genomen had.

'Twee dollar voor een kop koffie,' zei hij en hij liet zich op zijn stoel vallen. 'Waarom heb ik dat niet bedacht? Ik heb koffie genoeg.'

'*Beanie Babies,*' zei ik. 'Daar had ik op moeten komen.'

'We verkopen ze in de winkel,' zei hij. 'Ik verafschuw ze.

De mensen bellen de hele dag: "Heeft u Spots?" "Heeft u Gobbler?" We moesten een extra lijn nemen om de telefoontjes voor bloemen te kunnen ontvangen.'

Ik had niet alleen niet op tijd bedacht om ook *Beanie Babies* te maken, ik was bovendien niet op het idee gekomen om ze te verkopen. 'Dus de zaken gaan wel goed.'

Hij wierp een blik op onze wederzijdse stapel folders over het kleinbedrijf. 'Je weet hoe het is.'

Die gedachte leek ons beiden te deprimeren en een poosje zaten we te zwijgen boven onze koffie.

'De afgelopen jaren heb ik wel eens gedacht dat ik je misschien moest schrijven,' zei Romeo. 'Je denkt het, maar je doet het nooit. En toen zag ik je vandaag en ik dacht...'

Maar hij zweeg en zei niet wat hij dacht en na een poosje was ik te nieuwsgierig om beleefd af te wachten. 'Waar had je me over willen schrijven?'

'O, over dit alles.' Hij maakte een handgebaar naar de tafel en heel even dacht ik dat hij me over koffie had willen schrijven. 'Dat familiegedoe, dat gedoe tussen onze families.' Hij zweeg en schudde zijn hoofd. 'Over Sandy. Ik wilde je over Sandy schrijven. Of misschien had ik naar Sandy moeten schrijven. Als ik terugkijk denk ik dat ik... dat ik het allemaal niet zo goed gedaan heb. Al dat geschreeuw en Camille die huilde, al dat gedoe over en weer. Ik vind nog steeds dat ze te jong waren om te trouwen, zelfs al waren Camille en ik niet zoveel ouder dan zij. Misschien was het goed om de bruiloft te verhinderen, maar ik vind niet dat we tussen hen hadden moeten komen. Het ging om ons, niet om hen.'

Het was een afschuwelijke avond, stervenskoud en het stortregende. Tony Cacciamani kwam notabene met een ladder naar ons huis alsof Sandy een soort gijzelaar was. Ze was van plan via de ladder naar beneden te klimmen en dan zouden ze gaan trouwen, maar de ladder viel om en daar hing Sandy aan de vensterbank van haar slaapkamer op de tweede verdieping te schreeuwen. We zeiden dat het een complot van de Cacciamani's was, dat Tony probeerde Sandy te vermoorden.

'Het is lang geleden,' zei ik. En dat was ook zo, maar ik werd toch droevig toen ik er alleen maar aan dacht.

Hij knikte. 'Lang geleden. Ik heb één dochter. Ik weet niet of je dat weet. Plummy. Ze is de jongste. Ze zit nu op het Boston College. Ze is zo slim, jezus, ik weet niet van wie ze dat heeft. Ze is heel anders dan de rest van de familie. Toen dat met Sandy en Tony gebeurde was mijn Plummy nog maar een klein meisje, ze kon amper lopen. Ik wist in die tijd niets over meisjes.'

Ik herinnerde me Sandy, zestien jaar, huilend op haar bed en Tony Cacciamani die de hele tijd opbelde en Mort die de hoorn ophing. Mort zei tegen Sandy dat hij nooit gebeld had. Vervolgens stuurden we haar met een uitwisselingsprogramma naar Zweden en ze kreeg zo'n vreselijke heimwee dat de gastfamilie haar twee maanden later naar ons terugstuurde. Ik heb er nooit meer aan teruggedacht. Het was een zwart hoofdstuk in de geschiedenis van mijn ouderschap. 'Ik begrijp het,' zei ik. 'We hoeven er niet over te praten.' Iedereen die me kent weet dat 'We hoeven er niet meer over te praten' bij mij eenvoudigweg betekent: 'Hou erover op.' Maar dat wist Romeo niet.

'Wat ik wil zeggen is dat Plummy nu een jongedame is, volwassen en heel mooi zoals haar moeder.'

Ik knikte, hoewel in mijn herinnering Camille niet zo mooi was.

'Ik denk dat ik nu beter begrijp hoe jullie het zagen. Als Plummy mij zou zeggen dat ze zomaar met iemand ging trouwen, laat staan met een Roseman... tja, het is gewoon gecompliceerder als je dochters hebt.' Hij boog zich naar me over, bijna fluisterend om te voorkomen dat de schrijvers meeluisterden. 'Als je jongens hebt denk je dat alle problemen in de wereld van de meisjes komen. Je begint over alle meisjes slechte dingen te denken. Dan krijg je een meisje en man... dan begin je die jongens op een andere manier te bekijken. De wereld begint eruit te zien als een gevaarlijk oord.'

Daar moest ik om lachen. Ik probeerde van het verleden los te komen. 'Kinderen maken fouten,' zei ik. 'Grote fouten. We kunnen hun alleen maar leren wat het beste is en zorgen dat we er zijn als ze ons nodig hebben.'

'Nou, dat heb je ook gedaan. Je beschermde je dochter. Dat zou ik gezegd hebben in die brief die ik je niet geschreven heb.'

'Zo geweldig waren we niet, hoor. We waren niet bepaald toonbeelden van hoffelijkheid. Mort heeft afschuwelijke dingen gezegd over Tony, over jou. God, ik herinner me het geschreeuw van toen nog goed.' Ik probeerde me te herinneren wat ik al die jaren geleden van Romeo Cacciamani had gevonden toen hij en zijn vrouw op ons bankstel zaten. Was hij aardig? Was hij slim? Vond ik hem er goed uitzien? Ik wist het niet precies. Was het gewoon mogelijk dat hij de afgelopen vijftien jaar zo'n aantrekkelijke man was geworden?

'Hij haatte ons. Dat was zeker. De dochter van Mort Roseman die ervandoor gaat met een Cacciamani.' Hij schudde zijn hoofd. 'Dat is niet niks.'

'Roth,' herinnerde ik hem eraan. 'Mort Roth.' Romeo haalde zijn schouders op.

'Ik haatte je ook,' zei ik en was vervolgens, voor de tweede keer al sinds onze ontmoeting, ontzet over mijn eigen plotselinge neiging tot openhartigheid.

Maar wat Romeo betrof had ik niets ernstigers opgebiecht dan mijn afkeer voor cafeïnevrije koffie. 'Cacciamani's en Rosemannen,' zei hij. 'Een slechte combinatie.'

Ik zag dit als mijn kans om antwoord te krijgen op een vraag die me al jaren door het hoofd spookte, een vraag die ik mijn vader, moeder of man nooit had kunnen stellen omdat het zo voor de hand lag en ik gewoon te stom was: 'Waarom haten we elkaar?'

'Om je de waarheid te zeggen, ik weet het niet precies.' Romeo nam een grote slok van zijn koffie en leek het niet erg te vinden dat die nog gloeiendheet was. 'Nadat Tony en Sandy verkering hadden gehad kon ik zeggen dat het kwam door wat er met hen gebeurd was, maar ik haatte jullie zeker al lang daarvoor. Mijn ouders haatten jouw ouders. Allemachtig!' Hij schudde zijn hoofd. 'Dat was nog eens haten. Op een avond sloop mijn moeder de tuin van je ouders in en strooide zout op de wortels van je moeders rozen.'

'Vermoordde ze de rozen? Neem je me soms in de maling? Mijn moeder zei altijd dat het kwam door een of andere vloek van de Cacciamani's.' Ze verdorden gewoon, tot de laatste aan toe, en nadien slaagde ze er niet in op die plek ook maar iets te laten groeien. Uiteindelijk kocht mijn vader een paar tegels en bedekte daar de aarde mee.

'Het was tafelzout van de Cacciamani's. Dat komt op hetzelfde neer waarschijnlijk. Op een keer, ik zat zo ongeveer in de zesde klas en ik ging naar een verjaardagsfeestje en jij was er ook. Ik praatte niet met je of zo, ik wist wel beter, maar 's avonds tijdens het eten zei ik tegen mijn vader dat ik je wel leuk vond en hij sleurde me aan mijn kraag naar de badkamer en waste mijn mond met zeep. Hebben ze dat bij jou wel eens gedaan?'

Ik schudde mijn hoofd.

'Het is afschuwelijk. Echt waar.'

Ik probeerde zo min mogelijk koket te klinken. Ik probeerde mijn stem als die van Dan Rather te laten klinken. 'Dus je vond me wel leuk?' Ik was mijn charmes nog niet geheel verloren, maar het was lang geleden dat iemand het woord leuk aan mijn naam koppelde.

'Het kwam door mijn leeftijd. Ik probeerde mijn vader op stang te jagen maar ik wist niet dat ik hem zo erg op stang zou jagen.' Hij nam een slok koffie en keek uit het raam.

'Maar inderdaad, ik vond je toen leuk. Eigenlijk vind ik je nog steeds leuk.'

Laat me even iets vaststellen: in de jaren voordat Mort vertrok ging het niet zo geweldig tussen hem en mij. Het ging allang bergafwaarts met onze relatie. Na Mort, niets meer. Daar was ik niet trots op. Het is niet zoals ik gewild had dat het zou gaan, maar het ging nou eenmaal zo en ik had geen idee wat ik eraan moest doen. Ik had geen tijd om er iets aan te doen, niet zolang ik de hele dag werkte, het huishouden deed en Sandy hielp met haar kinderen. Ik zou zoveel seminars over afspraakjes maken nodig hebben dat ik niet zou hebben geweten waar ik moest beginnen. En ja, soms flirtten mensen met me, een man die bloemen kwam kopen voor zijn vrouw, de eenzame vrachtwagenchauffeur die mijn bloemen levert. Ik zou er nooit op ingegaan zijn en waarschijnlijk meenden ze het ook helemaal niet. Maar een echt compliment, een oprecht vriendelijk woord van een blijkbaar aardige man, nou, dat was een hele tijd niet gebeurd. Het klonk als een liedje in de verte. Heel lieflijk en ver weg.

'Ik herinner me je niet op dat feestje,' zei ik. 'Ik wou dat het wel zo was.'

Hij wapperde met zijn hand. 'Ik was een heel gaaf jochie.' Hij glimlachte. Zijn tanden stonden een beetje scheef maar het waren mooie tanden. 'Ik kwam, stond een poosje toe te kijken en ging er toen vandoor. Dat was mijn stijl.'

Hoe graag ik ook wilde weten hoe dit verder zou gaan, ik kon het zout niet uit mijn gedachten zetten. 'Waarom vermoordde je moeder onze rozen eigenlijk?'

'Dat weet ik niet. Ik dacht altijd dat jullie het wel wisten. De manier waarop ze bij ons thuis de naam Roseman uitspraken deed vermoeden dat er heel wat moorden en chantage aan vooraf waren gegaan.'

'Ik denk niet dat mijn ouders Cacciamani's vermoord hebben.'

'En je grootouders?'

'Dat waren joden, in Lithouwen. Ze zijn niet veel in Italië geweest. Ik heb begrepen dat de treinverbindingen toen heel slecht waren. Maar je moeder leeft nog, kun je het haar niet vragen?'

'Zout strooien op de rozen, daarvan wéét ik dat ze het gedaan heeft, de dingen die ik niet weet wíl ik ook niet weten. Mijn moeder is een taaie tante. Ik acht haar in staat tot behoorlijk ernstige dingen. Als ze me nu nog niet verteld heeft waarom ze de Rosemannen haatte, zal ze het nooit doen.'

'En je kinderen?'

Romeo trommelde met zijn vingers op het tafelblad. Hij had mooie handen, slank en sterk alsof hij pianospeelde. Hij droeg nog steeds zijn trouwring. 'Ik vrees dat dat mijn schuld is.'

'Ach, het is niet erg. Mort en ik spraken tegen onze meiden onder het eten ook niet zo vriendelijk over jullie.'

'Haatten ze ons?'

Nora haatte. Nora met haar Lexus en haar gsm, haar fiscaal-jurist-echtgenoot en haar glanzende makelaarscarrière, Nora haatte de Cacciamani's met een hartstocht waar niemand in de familie aan kon tippen. Ze was een vaderskindje. Ze zou bij de bruiloft van haar beste vriendin weglopen als de Cacciamani's voor de bloemen gezorgd hadden. Sandy haatte hen ook, maar zij had haar eigen redenen. Sandy haatte hen omdat ze echt van Tony hield. Ze noemde haar zoontje Tony, wat ik een heel twijfelachtig gebaar vond maar ik heb er nooit iets van gezegd. 'Ze haatten jullie.'

'Mijn jongens gedragen zich als jongens. Ze koesteren een wrok en daarmee basta, het zijn allemaal echte Cacciamani's. Van Plummy weet ik het nog niet zo zeker. Ze studeert, ze danst, ze werkt in de winkel. Ik denk niet dat ze tijd heeft om iemand te haten.'

Je hoort mensen wel eens zeggen dat iemand ineens

stráált. Dat vond ik altijd nogal dwaas gezegd, alsof we allemaal ergens een verborgen stekker hebben zitten die in een stopcontact gestoken kan worden, maar als Romeo over zijn dochter sprak leek hij inderdaad licht te geven.

'Dus jij lijkt mij niet te haten en ik lijk jou niet te haten,' zei hij. 'Wat denk je dat er met ons gebeurd is?'

Ik legde uit wat er gebeurd was, met mij in ieder geval. Hoe ik eerst volgens de traditie van mijn familie gehaat had, maar dat de dingen toen veranderd waren. Ik vertelde hem over Mort. Ik vertelde hem dat als iemand mij had gevraagd wat ik van de Cacciamani's vond, toen ik vanmorgen mijn havermoutvlokken zat te eten ik uit pure gewoonte iets vreselijks zou hebben gezegd, maar dat toen ik hem *zag*, gewoon een ploeterende eigenaar van een kleine zaak zoals ikzelf ook was, dat allemaal verleden tijd bleek.

Hij kon goed luisteren. Hij zat heel stil als ik sprak en keek me recht aan. 'Ik begrijp het,' zei hij. 'Toen Camille stierf...' Hij zweeg even, tikte met zijn bekertje een paar maal op tafel alsof hij hoopte het in code te kunnen zeggen. 'Tja, ik ben wat veel dingen betreft van gedachten veranderd. Ik zou het heerlijk gevonden hebben om haar voor altijd bij me te hebben, en doorgaan met het haten van de Rosemannen als altijd, maar zo ging het niet. Ik verloor Camille en ik verloor al mijn energie voor triviale dingen. Ik erfde haar gezonde verstand toen ze stierf. Ze heeft het aan mij nagelaten.'

'Dat is geen klein geschenk.'

'Geen klein geschenk,' herhaalde Romeo langzaam. 'Dus eigenlijk is er niet zoveel verschil. We hebben allebei de persoon verloren van wie we hielden en de haat verdween gewoon mee.'

'Het is niet hetzelfde. Ik hield niet van Mort. Niet zoals jij van Camille hield.'

'Niemand heeft op dezelfde manier lief, maar je hield wel degelijk van Mort. Dat moet wel. Anders zou je niet zoveel jaar bij die idioot zijn gebleven.'

Ik lachte en Romeo lachte en toen legde hij zijn mooie slanke hand op mijn pols en klopte erop. Het was niet iets seksueels, ik herkende het in ieder geval als een vriendelijk gebaar, maar het was lief, een zachte aanraking.

Hij pakte onze bekertjes en mijn verfrommelde servet en gooide het allemaal in de vuilnisbak. Toen we naar buiten stapten scheen de zon nog steeds helder en was de lucht fris en zoet als een hyacint. Romeo Cacciamani ging enkele malen op zijn tenen staan en maakte kleine sprongetjes. 'De lezing over pensioenrekeningen voor kleine zelfstandigen begint om drie uur,' zei hij.

'Nou en, ik zou nog net vijf jaar premie kunnen betalen. Wat heb ik daaraan? Ik heb geen geld voor een particuliere pensioenrekening. Trouwens, ik zal nooit met pensioen kunnen gaan.'

'Ik ook niet,' zei hij. 'Te veel kinderen.'

'Hoeveel?'

'Zes. De vijf jongens en Plummy.'

Ik floot.

'Dus, geen lezingen meer. Terug naar Somerville dan maar.' Hij keek de straat in alsof hij verwachtte dat er een auto zou komen aanrijden om hem naar huis te brengen. 'Ben je met de auto?'

'Ben je gek? Parkeren kost een vermogen. Ik heb de bus genomen.'

Hij knikte en opnieuw tuurde hij de straat in voor een lift, zo ver mogelijk van mij vandaan kijkend. 'Heb je wel eens naar Somerville gelopen?'

'Vanaf het centrum?'

Hij knikte. 'Ik zag je schoenen. Je draagt gemakkelijke schoenen. Daar kun je mee wandelen.'

Ik had de brui gegeven aan sexy schoenen toen de meiden werden geboren. Ik was buitengewoon, onzinnig gevleid toen ik me bedacht dat hij naar mijn voeten had gekeken. 'Ik ben bloemiste,' zei ik. 'Ik sta de hele dag.'

'Maar je hebt tegen je familie gezegd dat je tot tenminste vijf uur op het seminar zult zijn, nietwaar? Je hebt nog tijd genoeg.'

'Ik geloof niet dat ik ooit zo ver heb gelopen.'

'Het valt wel mee. In de winkel loop je de hele dag zo'n eind. Ik ook. Laten we zeggen dat we het proberen en als het niet lukt dan betalen we samen de taxi naar huis.'

Het zag er niet uit alsof het zou gaan regenen en ik was zo verstandig geweest mijn mappen op het tafeltje bij *Starbucks* te laten liggen. In april was er nog een zeldzame sneeuwstorm geweest, maar de laatste sneeuwbrij en modderige stukken ijs waren inmiddels weggesmolten. De trottoirs zagen er droog en schoon uit, prima geschikt om op te lopen. Ik knikte. Hoe had het zo ver met me kunnen komen dat van Boston naar Somerville lopen mij een daad van lichtzinnige roekeloosheid toescheen? 'Tuurlijk,' zei ik. 'Waarom niet, eigenlijk.'

En dus begonnen we naar huis te lopen, uit de schaduw van het Prudential Center en in de richting van Massachusetts Avenue. Het was een heel eind lopen over de brug van Massachusetts Avenue, waar de hemel roze licht in de Charles River reflecteerde en waar aan de rechterkant de laatste zeilboten van die dag over het water scheerden. Wie wist dat wandelen naar Somerville zo mooi kon zijn? Ik ben nooit in Parijs geweest, maar ik kan me niet voorstellen dat het veel mooier is dan dit. De reis duurde langer dan we verwachtten omdat toen we moe werden Romeo voorstelde bij *La Groceria* naarbinnen te gaan voor een bord spaghetti. Ze hadden er een heerlijke fles niet al te dure Chianti. Het gekke was dat we niet eens zoveel over onze families spraken. We hadden het over films en een ziekenhuissoap op de tv waar we beiden graag naar keken. We spraken over opgroeien in Boston en de reisjes die we hadden gemaakt en altijd van plan waren geweest te maken. Na het eten liepen we lange tijd zwijgend naast elkaar. Het was plezierig om in de scheme-ring naar de huizen te kijken, naar het warmoranje licht dat uit de huiskamerramen viel. Ik vond het leuk om me de mensen in die huizen voor te stellen, om me af te vragen hoe hun leven was geworden en of ze gelukkig waren of te-leurgesteld. Het verontrustte me niet, dat niet met Romeo praten. Ik heb nooit het gevoel gehad dat we twee mensen waren die niet meer wisten wat ze tegen elkaar moesten zeg-gen, maar dat we twee mensen waren die elkaar goed ken-den. Twee mensen die niets anders hadden dan tijd.

3

Zodra ik de zilverkleurige Lexus voor het huis zag staan wist ik dat ik in ernstige moeilijkheden verkeerde. Ik was laat. Ik was vergeten dat Sandy vanavond naar school moest en dat ik verondersteld werd op de kinderen te passen. Ze had vast eindeloos zitten wachten en tenslotte haar zus gebeld als een allerlaatste toevluchtsoord waar het kinderoppas betrof. Ik ging op het lage stenen muurtje rond mijn voortuintje zitten en zuchtte diep, ik wilde hetgeen zou komen nog even uit-stellen. Ik hield van Nora, maar ze was iemand met wie je rekening moest houden. Ze tolereerde geen vergeetachtig-heid en verdroeg ongemak slecht. Ik wilde een momentje om na te denken over mijn leuke avond, het heerlijke eten en de lange wandeling naar huis. Gelukkig was Romeo vijf straten eerder afgeslagen naar zijn eigen huis met de inwo-nende familieleden, ervan uitgaand dat ik volwassen genoeg was om veilig thuis te komen. Ik zou niet gewild hebben dat hij me zo zag, mezelf verstoppend in mijn tuin voor mijn dochter. Wie had kunnen denken dat iemand helemaal van-uit het centrum van Boston hiernaartoe kon lopen? Ik had hier mijn hele leven gewoond en de gedachte was nooit bij me opgekomen.

Ik viste mijn sleutels onder uit mijn tas, veegde even langs mijn lippen om er zeker van te zijn dat er geen broodkrui-mels aan kleefden en toen ging ik naar binnen. Nora had alle lichten in huis aangedaan. Mijn kleinkinderen Tony en Sarah, respectievelijk acht en vier jaar, waren nog op. Ze huilden alletwee.

'Mijn god!' zei Nora en ze kwam als een trein op me af-stormen. 'Ik zei net tegen de kinderen dat ik de politie zou moeten gaan bellen. Waar ben je geweest, moeder? Ik was er absoluut van overtuigd dat je d-o-o-d was.'

'Je was dood!' jammerde Sarah en ze vloog in mijn armen. Mijn rug is niet meer wat hij geweest is. Tony sloeg zijn armen om mijn middel en klemde zich tegen me aan.

Ik probeerde mijn evenwicht onder de last te bewaren. 'Ik ben niet dood. Ssst, niet huilen. Kijk eens naar me.' Ik pakte haar bij de kin. Wat een tranenvloed! 'Kijk eens naar me. Zie je wel, zie ik er dood uit?'

Ze dacht even na en schudde toen haar hoofd, maar het huilen was een eigen leven gaan leiden en ze kon niet meer stoppen. Ze snikte naar adem snakkend en klonk als een snorkend varkentje. Ik wreef cirkeltjes over haar rug. 'Tony,' zei ik en ik keek op zijn kruin neer. 'Is alles goed met je?'

Tony, die nooit zo'n prater is geweest, knikte tegen mijn middel en bracht de extra vijf kilo, waar ik vanaf wilde, in beweging. Ze braken mijn hart. Ik bleef er zowat in. Er lag zoveel hartstocht in hun angst. Ik keek naar Nora die haar handen openspreidde alsof ze wilde zeggen, 'moet je nou eens zien wat je hebt aangericht.'

'Ik was het gewoon vergeten,' zei ik. 'Ik was vergeten dat het Sandy's schoolavond was anders zou ik wel rechtstreeks naar huis gekomen zijn.'

'Waar was je eigenlijk?' vroeg Nora.

Ik voelde me heel slecht, ja, heel schuldig. Ik was letterlijk bevlekt met de tranen van deze kinderen, maar ik was niet zo aangedaan dat ik de ironie van mijn situatie niet inzag. Voor zover ik weet probeerde Sandy een keer te trouwen toen ze nog op de middelbare school zat en zat ze voor de rest op haar kamer tv te kijken. Nora daarentegen liet ons door een hel gaan, ze bleef tot vier uur 's morgens weg of ze zei dat ze even een colaatje ging kopen om vervolgens zes uur later achter op de motor van een of andere jongen terug te komen. Ik vond een filmkokertje vol marihuana in haar la met sokken en een pessariumbewaardoosje met plakband vastgeplakt op de bodem van haar wasmand. De goedgeklede makelaar met schoenen van slangenleer en diamanten oorknopjes die voor me stond en haar armen over elkaar sloeg had zo vaak huisarrest gekregen dat ik de tel ben kwijtgeraakt. Huisarrest van mij, haar moeder. 'Ik ben naar het seminar geweest. Ik kwam een vriend tegen. We hebben wat gegeten en zijn naar huis gelopen.'

'Naar huis gelopen! Vanaf het Sheraton! Ik zit hier met die kinderen en denk dat je dood bent...'

Bij het woord 'dood' begon Sarah weer te jammeren.

'En jij loopt naar Somerville!'

'Als ik eraan gedacht had zou ik niet naar huis gelopen zijn.' Zo was het genoeg. Ik zette Sarah op de grond en maakte Tony los. Ze wankelden naar de bank, dronken van verdriet. 'Nora, het spijt me dat je hier naartoe moest komen en ik wil je bedanken dat je met de kinderen geholpen hebt.' Ik probeerde wat moederlijke autoriteit in mijn stem te leggen, niet dat het bij haar ooit iets had geholpen.

Toen verscheen Nora's echtgenoot Alex in de gang met in zijn hand een broodje met een servet eromheen. Ik waardeerde die opwelling van netheid in hem.

'Nee maar,' zei hij, 'wie hebben we daar.' Hij geloofde niet dat ik dood was of het kon hem niets schelen.

'Ik was het vergeten, Alex. Het spijt me.'

'Ze is vanaf het Sheraton komen lopen,' zei Nora.

Hij knikte, stak zijn duim naar me op en ging terug naar de tv. 'Men zegt dat het beter is dan hardlopen, als je maar lang genoeg loopt.'

'Waarom heb je Alex meegenomen?' vroeg ik Nora. Ik vond het minder erg om mijn dochter ongemak te bezorgen dan haar echtgenoot, hetgeen waarschijnlijk betekende dat ik er een bekrompen, seksistische manier van denken op na hield.

'We wilden net uiteten gaan toen Sandy belde. Ze zei dat

je over een paar minuten zou komen. Ze vertelde er niet bij dat ze nog helemaal niets van je gehoord had.'

'Het spijt me.'

'We hadden bij Biba gereserveerd.'

Ik wist niet wat dat was maar ik verontschuldigde me nog maar eens, hopelijk voor de laatste keer.

Alex werkte de laatste hap naar binnen en de kinderen begonnen weer normaal te ademen en vielen uitgeput op de grond in slaap. Nora trok haar jas aan, een trenchcoatmodel, maar gemaakt van lichtgele zijde die haar prachtig stond. Ik kon er nooit over uit hoe Nora was geworden, zo succesvol, zo flitsend, zo noem het beestje maar bij de naam, rijk.

Ik had het me in mijn wildste dromen niet kunnen voorstellen, omdat ze als kind zo'n vreselijke duvel was geweest. Dus schrijf een kind dat je zoveel problemen bezorgt nooit af, ik geloof dat dat de moraal van het verhaal is. 'Je ziet er zo mooi uit,' zei ik.

'Nou ja, we gaan ook uit.' Nora haalde haar schouders op en trok haar donkere haar uit de kraag van haar jas. Toen glimlachte ze tegen me, misschien om aan te geven dat ze het me vergeven had. 'Het is al goed. Ik vergeet ook wel eens wat.'

Ze deed een beetje neerbuigend, maar ik slikte het.

'Wie kwam je trouwens tegen?'

Ik lachte bij de gedachte eraan, de gelukkige absurditeit ervan. 'Je raadt het nooit. Je zult nooit geloven met wie ík uiteten ben geweest.'

Nora beantwoordde mijn gelukkige blik en pakte haar tas. Het was een spelletje. 'Wie?'

'Romeo Cacciamani. Kun je het je voorstellen?'

Ik had eerst na moeten denken en vervolgens liegen. Omdat ík de vijand van alle Rosemannen was tegengekomen en niets dan vrede in mijn hart had gevonden, betekende nog niet dat die vrede door alle leden van mijn stam gedeeld zou worden.

Nora liet haar tas vallen. Misschien gewoon een wat overdreven dramatisch gebaar, of misschien wilde ze haar handen vrij hebben om me te wurgen.

'Wát? Wát heb je gedaan?'

Zelfs in hun verdoofde staat hoorden Tony en Sarah de verandering van toon en ze tilden hun slaperige hoofdjes op van het tapijt. Alex kwam met een duidelijk geschrokken uitdrukking op zijn gezicht aanlopen.

'Wat?' zei hij en het woord werd herhaald door de kinderen.

'Nora,' zei ik zachtjes. 'Ga naar huis. We praten hier een andere keer wel over.'

'Vertel het me!' zei Nora. Of eigenlijk brulde ze het. Dat kon ze goed.

Ik bleef heel zachtjes praten, maar dit was niet meer ongedaan te maken. 'Ik kwam Romeo Cacciamani tegen bij het seminar. We raakten aan de praat en we hebben samen gegeten.'

'Cacciamani? Ben je uiteten geweest met een Cacciamani?'

Het was verbazingwekkend. Ze klonk net als haar grootvader toen ze de naam uitsprak. Ik verwachtte bijna dat ze zou spugen.

Ik probeerde te bedenken wat ik gezegd zou hebben als Nora een Cacciamani was tegengekomen en ik niet. Zou ik nog steeds in woede willen ontsteken? 'Ik vroeg me af waar die enorme vete nou eigenlijk om ging? Ik weet het niet eens.'

'Weet je het niet? Waarom vraag je het Sandy niet. Sandy weet het wel.'

Nu hadden de kinderen de naam van hun moeder gehoord en het gehuil begon weer opnieuw. 'Ik bedoel daarvoor. In 's hemelsnaam, Nora, hou toch op. Het is een heel aardige man.'

'Ik geloof mijn oren niet,' zei Nora. Toen kwam er plotseling een afschuwelijke gedachte in haar op. 'Ben je met hem naar huis gelopen?'

'Nee,' zei ik. 'Natuurlijk niet. Ik heb nogal zwaar getafeld en ik had zin om te lopen.'

'Liet hij je het hele eind vanaf het centrum in je eentje lopen?'

'Hou hiermee op. Ophouden. Gaan jullie maar naar huis. Ik ga de kinderen in bed leggen.'

'Zweer het me, moeder. Zweer me dat je die man nooit meer zult zien.'

'Hij woont in Somerville. Ik zal hem wel bij de supermarkt tegenkomen.'

'Je weet wel wat ik bedoel.'

'Welterusten, Nora.'

'Zweer het. Ik vertrek niet voordat je het gezworen hebt.'

Heel even zag ik het haarscherp voor me: Sandy en Tony en Sarah waren al bij me komen wonen, nu kwamen Alex en Nora er ook nog bij.

's Morgens iedereen in een rij voor de badkamer. Ik in mijn badjas, zes kommetjes met havermout vullend. 'Tuurlijk,' zei ik. 'Ik zweer het. Ga nu maar.'

Alex wilde weg, deze ruzie ging hem niet aan. Hij boog voorover en deed de deur open zodat ik het niet zou hoeven doen. Voor een fiscaal-jurist was Alex een tamelijk gewone vent. Hij moest ook stevig in zijn schoenen staan om het bij Nora uit te kunnen houden. 'Welterusten mam,' zei hij.

'Welterusten,' zei ik. 'Bedankt.'

Nora vertrok als een wervelwind. Zonder een woord tegen mij of de kinderen. Oké, ik heb het gezworen, maar wat betekent dat nou helemaal? Ik zou Romeo toch niet meer zien. Ik had hem vijftien jaar lang niet gezien en het zou waarschijnlijk nog eens vijftien jaar duren voordat ik hem weer zou zien. Dus...?

Ik legde de kinderen in bed, de laatste restjes geluk van mijn avond waren als kevers vertrapt. Ik was zestig en weer pyjamaatjes aan het dichtknopen. Maar wat dat betreft zal ik niet klagen. Het waren lieve kinderen, en hoewel ik wilde dat Sandy's huwelijk goed was gebleven en dat ze allemaal in een ander huis hadden gewoond, waar ze geluk en stabiliteit hadden gekend, vond ik het meestal niet erg om ze om me heen te hebben.

'U gaat toch niet meer weg, hè?' vroeg Tony met een trillend stemmetje. Het was nog zo'n klein jochie voor zijn acht jaren.

'De gang door en rechtstreeks naar bed, daar ga ik naartoe.' Ik boog me over hem heen en kuste hem op zijn voorhoofd totdat hij giechelde en kronkelde.

Sarah sliep gewoon door toen ik haar nachtjapon aantrok en haar in bed hees. Het huilen had haar uitgeput.

Ik hield mijn woord aan Tony en ging meteen slapen. Maar ik had een droom die het vermelden waard is. Romeo Cacciamani gooide steentjes tegen mijn raam, iets wat ik wel eens in de film heb gezien maar wat ik iemand in werkelijkheid nog nooit heb zien doen. Ik kwam in het donker uit mijn bed, trok het rolgordijn op en opende het raam om mijn hoofd naar buiten te steken. In de droom gingen mijn ramen gemakkelijk open en waren er geen horren waarmee ik rekening moest houden. In de droom droeg ik een heel mooie witte nachtjapon die van katoen was en gestreken.

'Wat wil je, Romeo Cacciamani?' vroeg ik.

Hij stond midden op straat in zijn kaki broek en windjack, opkijkend naar mijn raam. Ik kon zo goed alles zien omdat de maan zo helder scheen. Hij zag er geweldig knap uit in het maanlicht. Hoe had ik dat ooit over het hoofd kunnen zien? Ik wilde mijn hand tegen zijn wang leggen. 'Wat wil je?' vroeg ik weer, want hij zei niets. Hij stond alleen maar te staren.

'Ik moest je zien,' zei hij ten slotte. 'Ik kon niet slapen. Ik wist dat ik nooit meer zou kunnen slapen als ik je niet zou zien.' Hij bleef nog een poosje staren en toen hij tevreden leek te zijn glimlachte hij naar me en zwaaide. 'Welterusten, Julie.'

'Welterusten, Romeo.'

En toen werd ik wakker. Nu komt het zorgelijke gedeelte: ik stond bij het raam. Ik ben nooit een slaapwandelaar geweest en ik vroeg me af of dit iets gevaarlijks was, of ik naar buiten had kunnen vallen. Toen herinnerde ik me dat alle ramen klemden en dat ik er zonder hamer niet een had kunnen openen. Ik bedacht dat ik wel wakker geworden zou zijn tegen de tijd dat ik een hamer had gehaald. Ik keek de donkere nachtelijke straat in. Er was niemand. Er was niemand en ik was gek. De droom had me achtergelaten met een gevoel van schaamte en verdriet zelfs, omdat mijn onderbewustzijn zoiets kon willen. Ik ging terug naar bed maar viel niet meer in slaap.

's Morgens kwam Sandy mijn kamer binnen zonder zelfs maar aan te kloppen. 'Heb je een afspraakje gehad met Romeo Cacciamani?'

'Helemaal niet,' zei ik. Ik had in bed naar het plafond liggen staren, bedenkend dat ik anjers moest bestellen. 'We kwamen elkaar tegen bij een seminar en hebben samen gegeten. Einde verhaal.'

Sandy kwam mijn kamer in en deed de deur achter zich dicht. Het was zes uur in de ochtend en de kinderen sliepen nog. Sandy droeg een joggingbroek en een T-shirt van de Celtics met Larry Byrd op de voorkant. Ze had haar bril op en haar springerige haar was nog niet gladgekamd. Haar lip begon te trillen. 'Waarom doe je me dit aan?'

Geschrokken ging ik rechtop in bed zitten. 'Nee lieverd, ik doe jou niets aan. Dit had niets met jou te maken.'

'Waarom zou je anders met hem zijn gaan eten?'

'Sandy, ik weet het niet. Het was zo'n kleinigheid. We kwamen elkaar tegen, we begonnen te praten, we kregen honger en we aten. Dat was alles. Ik beloof het je.'

'Je haat de Cacciamani's.' Ze veegde met de rug van haar hand onder haar ogen. Ze was zo gevoelig, arme Sandy. Ze kon niet zo goed ergens overheen komen.

'Ik haatte hen, je hebt gelijk. Maar toen ik Romeo gisteren zag haatte ik hem gewoon niet meer. Er is zoveel tijd voorbijgegaan, vind je niet?'

'Noem je hem nu al Romeo?'

'Dat is zijn naam.'

Ze kwam naar me toe en liet zich neerzakken op de hoek van mijn bed. 'Sommige dingen die gebeurd zijn gaan nooit voorbij,' zei Sandy. Ze was te mager. Sinds haar scheiding kon ik haar schouderbladen als vleugeltjes uit haar rug zien steken. 'Als hij in de buurt was, als ik zijn naam moest horen, dan denk ik niet dat ik het zou kunnen verdragen.'

'Hij is niet in de buurt. Hij is hier niet.'

'Dus je zult hem niet meer ontmoeten?'

'Heb je enig idee waarom je hem zo erg haat? Ik ben gewoon nieuwsgierig. Waarom haten we die mensen zo erg?'

Sandy zag eruit alsof ik haar een klap had gegeven. 'Weet je het niet meer?'

'Natuurlijk weet ik dat nog. Ik bedoel daarvoor.'

'Wat voor reden heb je nog meer nodig? Ik probeer mijn leven weer op orde te krijgen. Ik dacht dat ik me hier thuis zou voelen.'

'Je bent thuis.'

'Maar je blijft meneer Cacciamani zien?'

'Ik zie meneer Cacciamani niet. Ik kwam hem gewoon tegen. Eén keer in vijftien jaar.'

Haar gezicht klaarde een beetje op. Ze veegde nog eens onder haar bril. 'Dus je gaat hem niet meer ontmoeten?'

'Dat ben ik niet van plan.'

'Dus je doet het niet?'

Die meiden gaven me geen centimeter de ruimte. Wat maakte het uit? Het was niet moeilijk om het te beloven. Ik zou hem niet meer zien. 'Nee.'

Sandy kwam op handen en knieën over het bed naar me toe kruipen. Ze was tweeëndertig maar soms deed ze me aan Sarah denken, die heel volwassen was voor een vierjarige. Ze sloeg haar armen om mijn nek en ging naast me liggen. 'Ik hou echt van je, mam.'

Ik vertelde haar de waarheid zonder uit te leggen hoe buitengewoon gecompliceerd die waarheid op dat moment voor me was. Ik vertelde haar dat ik ook van haar hield.

4

Toen mijn meiden opgroeiden dacht ik dat zij het kloppende hart van de wereld waren, het centrum van het universum. Helaas wisten ze dat ik dit dacht en dus gingen ze het zelf ook denken. Wat hen betrof was ik hun moeder, en dat was dat. Ik dacht dat het anders zou zijn als zij volwassen waren, maar zelfs toen Sandy kinderen kreeg en Nora aan haar grote carrière begon, beschouwden ze mij nog steeds niet als hetzelfde soort levend wezen als zijzelf. Ze waren nu in de dertig, in alle opzichten competente vrouwen, maar als we samen in de keuken zaten lazen zij de krant terwijl ik tomaten stond te snijden voor hun salade. Zij lakten hun nagels terwijl ik de tafel dekte. Ik wist dat het mijn schuld was, ik had iets gedaan waardoor ze zo geworden waren, maar voor zover ik kon zien was het kalf al verdronken en zou het dempen van de put slechts een loos gebaar zijn.

Dus ze lieten mij beloven en zweren en alles doen behalve een naald in mijn oog steken om te verhinderen dat ik Romeo weer zou zien. Ze konden zich niet voorstellen dat ik niet zou doen wat zij wilden, want dat was de aard van onze relatie. En misschien hadden ze gelijk. We hadden het tenslotte over de Cacciamani's. In het leven worden we net zo gedefinieerd door wat we haten als door wat we liefhebben en misschien zou het verkeerd zijn om al die definities op te geven. Als ze geen Cacciamani's konden haten, zouden de Rosemannen misschien gewoon niet in staat zijn door te gaan met leven. Misschien vormde de haat wel ons skelet, was de haat datgene wat ons in staat stelde om rechtop te lopen en zonder zouden we niet meer dan een klomp huid en spieren op de vloer zijn. Ik zou hem weer kunnen haten, dat wist ik zeker, zelfs al had ik de hele morgen op beslist niet-hatelijke manier aan hem liggen denken. Zestig jaar haat tegenover één bord spaghetti en een lange wandeling? Waar hebben we het over.

Sandy was aan het begin van haar derde jaar opgehouden met studeren. Ze had er genoeg van en ze was dolverliefd op een jongen die ook Sandy heette. Ze trouwden en werden Sandy en Sandy Anderson, ze geloofden dat het nieuwtje van dezelfde naam genoeg zou zijn om hun relatie te bestendigen. Ze vergisten zich. Nu woonde Sandy de echtgenoot in Maui waar hij surfles gaf, stoned werd en zijn alimentatie vergat te betalen, en Sandy de echtgenote ging drie avonden per week naar school in de hoop haar verpleegstersdiploma te halen. Overdag hielp ze me in de bloemenwinkel en ik betaalde haar een salaris dat ik me niet kon permitteren in de hoop haar een gevoel van onafhankelijkheid te geven. Ik was in alle opzichten een flexibele werkgever en toen ze begon was ze een goede werknemer. Ze was vriendelijk tegen de klanten en handig met bloemen. Haar bloemstukken waren mooi en vrolijk, net zoals mijn moeder die altijd maakte. (De creaties van Mort daarentegen leken zoveel mogelijk op de reclameafbeeldingen te willen lijken. Zelfs als ze voor je stonden leken ze tweedimensionaal.) Ook de bezorgingen deed Sandy prima. Ze treuzelde nooit als het warm was en ze had een fantastisch richtinggevoel, iets wat ze zeker niet van mij had. We gingen vroeg naar de winkel om de bestellingen voor de ochtend klaar te maken en laadden ze vervolgens in mijn auto, die een betrouwbaarder motor had dan die van haar.

Sandy keek op het bestelformulier. 'Nou, vandaag is alles in ieder geval lekker bij elkaar in de buurt. Ik denk niet dat ik lang weg ben.'

Ik zei dat ze voorzichtig moest zijn. Ik vond het altijd vervelend dat ze bij vreemde deuren moest aankloppen. Ik stond op de stoep en zwaaide toen ze wegreed. In de tijd van mijn ouders, en later onder het beheer van Mort, hadden we een witte Ford-bestelbus gehad met op de zijkant de naam 'Roseman' geschilderd samen met een groot boeket rozen. Ik was gek op dat busje. Het gaf me het gevoel succesvol te zijn. Maar toen de zaken slecht gingen was het busje het eerste wat verdween. Alleen al de verzekeringspremie was een rib uit mijn lijf.

Ik vond het prettig om even op mezelf te zijn totdat de winkel openging en ik nam de tijd om te vegen en de glazen deur te lappen. Ik zette de emmer met sterrenkijkerlelies buiten op de stoep. Het was een koele dag en we moesten ze snel verkopen voordat ze al hun bloemblaadjes zouden verliezen. Ik pakte het kleine schoolbord en schreef 'tien dollar per bos'. Toen bedacht ik me, veegde het bord schoon met mijn mouw en maakte er acht dollar van.

De telefoon ging, de een of andere man die een excuusboeket wilde sturen. 'Ik ben stout geweest,' vertelde hij me.

'Ik begrijp het.' Hij zei dat het een boeket van 75 dollar mocht zijn, bezorgkosten niet meegerekend, en dus dacht ik dat hij wel flink stout geweest moest zijn. 'Wat wilt u dat er op het kaartje komt?

Het bleef even stil op de lijn. 'Ik weet het niet. Wat zou u willen horen?'

'Ik weet het niet,' zei ik, 'u heeft mij niks gedaan.'

'Maar wat zeggen andere mannen dan? Ik ben hier niet goed in.'

'Dingen als "Ik hou van je, het spijt me" doen het eigenlijk altijd wel goed.'

'Dat bevalt me wel. Schrijf dat maar op.'

'En haar naam?'

'Catherine.'

'Catherine met een C of een K?'

Weer was het even stil. 'Ik heb geen idee.'

Ik zuchtte en schreef het met een K. 'Als het niet goed is

zeg ik wel dat het mijn fout is.' 'Geweldig, ik wou alleen dat ik u van de rest ook de schuld kon geven,' zei de man. Hij gaf me zijn creditcardnummer.

Ik prikte Katherines bestelling op het prikbord en ging de koelcel in om het water te verversen en de stelen korter te maken, voor betere overlevingskansen. Na al die jaren dat ik in de winkel sta heb ik nooit genoeg gekregen van bloemen. Ik had genoeg van rekeningen en creditcardbedrijven en ongedekte cheques. Ik had genoeg van mensen die vijf dagen later hun boeket terugbrengen en hun geld terug willen omdat de bloemen dood zijn. Maar de bloemen zelf blijven me verbazen. Ik zal altijd geroerd zijn bij het zien van honderd potten met hortensia's die zich tijdens het moederdagweekend op de winkelvloer staan te verdringen of de rijen trillende orchidee-corsages in de tijd dat het eindbal op de scholen gehouden wordt. Ik deed zaken in geluk. Natuurlijk, er waren ook begrafenissen, ziekenhuisverblijven, maar zelfs dan was het de taak van de bloemen om op te beuren. Meestal ging het om liefde. Bloemen zijn een manier van uitdrukken voor mensen die niet weten wat ze moeten zeggen. Geef degene van wie je houdt een bos vuurrode papavers, met hun in alle richtingen gebogen stelen en hun bloemblaadjes die wapperen als vlaggen. Ze zien er zo veelbelovend uit, ze lijken zoveel op het leven. Dan komt de boodschap wel over.

We waren nog niet open, maar ik had de deur van het slot gedaan om de lelies buiten te zetten. Ik was achter in de winkel en haalde mijn mes over een bos rozenstelen, toen ik de deurbel hoorde. Ik veegde mijn natte handen af aan mijn spijkerbroek en liep naar voren. Er is een tijd geweest dat ik wie het ook was zou hebben weggestuurd, hen zou hebben gezegd dat ik nog gesloten was, maar nu waren het andere tijden: als ik in de winkel ben, ben ik open.

Daar, tussen een bak met potchrysanten en een emmer peperdure freesia's stond Romeo Cacciamani.

'Je hebt een heel mooie winkel,' zei hij om zich heen kijkend. 'Weet je, ik ben hier eigenlijk nog nooit binnen geweest. Mijn ouders zeiden altijd dat de Rosemannen voodoo-dingen verkochten, gedroogde vleermuizen, ogen van watersalamanders. Verkoop je misschien ogen van watersalamanders?'

Ik dacht: waarom heb ik dit afschuwelijke overhemd van Mort aan?

Vervolgens dacht ik: hoe lang geleden is Sandy vertrokken?

Ik zei: 'Geen watersalamanders.'

Hij knikte. 'Je bent nooit in Romeo geweest, is het wel?'

Zijn winkel heette Romeo, zijn ouders hadden hem zo genoemd, een eerbetoon aan hun enige kind. Het was natuurlijk een romantische naam, een naam die bij het geven van bloemen past. Mijn ouders werden er gek van omdat ze zo net vóór ons in het telefoonboek vermeld stonden. Op een gegeven moment overwoog mijn vader zelfs om de naam van onze winkel te veranderen in A. Roseman.

'Ik heb me nooit in je winkel vertoond.' Ik was zo blij hem te zien dat je zou kunnen denken dat hij mijn winnende lot kwam uitbetalen. Waarom was ik zo blij?

Hij knielde neer naast een paar lathyrussen die ik net binnen gekregen had en begon ze een beetje te fatsoeneren. Ik was blij dat hij zijn aandacht op de lathyrus gericht had, die moeilijk te krijgen was, redelijk geprijsd en verbijsterend vers. Als hij de sterrenkijkerlelies van dichtbij bekeken had zou ik zelfmoord gepleegd hebben. 'Je zou de boel opvrolijken.' Hij keek helemaal niet naar mij en het zou redelijk geweest zijn aan te nemen dat hij het over de bloemen had.

'Misschien zie ik jouw winkel op een dag.' Wat deed hij hier eigenlijk? Op de Mount Alburn-begraafplaats draaide mijn vader zich om in zijn graf. Cacciamani-handen aan onze stengels. Bovendien, als Sandy binnenkwam zou er een uitbarsting volgen die Tsjernobyl naar de kroon zou steken.

'Julie Roseman,' zei hij tegen de bloemen. Hij sprak mijn

naam op precies dezelfde manier uit als in de droom waarin hij onder mijn raam had gestaan en mijn hart sloeg een tel over alvorens het zich herinnerde weer verder te slaan. 'Ik had een heel leuke avond gisteren.'

'Ik ook,' zei ik. 'Totdat ik thuiskwam.'

Toen keek hij me aan. 'Je hebt het ze toch niet verteld, wel?'

'Ik vond het grappig. Ik weet niet wat me bezielde. Het was een enorme vergissing.'

Romeo schudde zijn hoofd. 'Ik heb aan iedereen verteld dat ik in mijn eentje naar de film was. Dat doe ik wel eens.'

'Een film. Ik wou dat ik daaraan gedacht had. Hoeveel wonen er bij je thuis?'

'Nou, ikzelf en mijn moeder. Plummy woont thuis omdat ik het schoolgeld al nauwelijks kan betalen en een kamer gewoonweg uitgesloten is. Dan heb je nog Alan, mijn jongste zoon, hij is tweeëndertig en is vorig jaar zijn baan kwijtgeraakt. Hij had een hele goeie baan in de computers en toen ineens niets meer, dus nu woont hij weer thuis met zijn vrouw Theresa en hun drie kinderen, Tommy, Patsy en Babe. Ze hebben ook een hond, Junior. Telt de hond ook mee?'

'Ja.'

'Oké, dan zijn we met zijn negenen. Ik heb een duplexwoning, maar het is een beetje onduidelijk wie waar woont.'

'Nou, je maakt dat ik me veel beter voel over mijn eigen leven.'

'Een dochter, twee kinderen.' Hij schudde zijn hoofd. 'Jij hebt privacy. Ik wil geen enkele klacht van je horen.'

'Het was slim van je om ze niets te vertellen. Privacy betekent dat je zo verstandig bent ze niet alles vertellen. Maar lieve hemel, een etentje. Je zou denken dat we een misdaad hadden gepleegd.'

'Weet je nog hoe jij je voelde toen je erachter kwam dat Tony en Sandy uiteten waren geweest?'

'Ja, maar zij waren nog kinderen. Dat is wel wat anders.' Ik keek op mijn horloge. Ik wilde niet onbeleefd zijn, maar ik zou het nog erger vinden om betrapt te worden. 'Hoor eens, ik wil je niet haasten maar Sandy kan elk moment terugkomen en ik heb even geen zin in een herhaling van gisteren. Ik weet dat het vreselijk is. Iedereen zou nu eens over die vreselijke vloek heen moeten zijn, maar zij zijn niet zo...' Ik haalde mijn schouders op. Hij zat nog steeds bij de lathyrus en ik wist niet wat ik nog meer moest zeggen.

'Dus waarom ben ik gekomen?'

'Misschien moeten we maar met de deur in huis vallen, ja.'

'Ik vond het gisteravond heel leuk tijdens het eten.'

'Heel leuk,' zei ik. Ik voelde het zweet in mijn oksels opkomen en ik zweer bij God dat het angstzweet was, Sandy op zoek naar een parkeerplaatsje, Sandy die de auto afsloot.

'Ik heb dit soort dingen zo lang niet gedaan. Ik was negentien toen Camille en ik trouwden. Wist je dat?'

Ik zei hem dat ik het niet wist.

'Je raakt het wat ontwend.'

En toen begreep ik het natuurlijk. Het is geen aanstellerij als ik zeg dat ik *het* ook zo ontwend was dat ik de ijzig langzame aanloop tot de vraag niet eens herkende. Misschien zou ik in een andere omgeving, op een ander moment hiervan genoten hebben. Ik zou het moment gerekt hebben en ervan hebben genoten, maar nu had ik alleen maar haast. 'Wil je nog eens met me eten?'

Hij glimlachte zo dankbaar, zo opgelucht, dat ik wilde dat ik hem de vraag had gesteld op het moment dat hij binnenkwam. Hij knikte.

'Oké. Wanneer?'

'Morgen.'

Vervloekt zij het lot en het babysitten. 'Dat kan niet,' zei ik. 'Sandy moet morgen naar school en dan heb ik de kinderen. Sandy, Sandy. Je moet nu echt weg.'

'Vanavond.'

Als het meezat had ik nog net tijd om mijn haar vanavond te wassen laat staan nog een jurk te kopen, die ik me niet kon permitteren. Maar goed, hij had me in spijkerbroek en Morts overhemd gezien dus zijn verwachtingen zouden niet te hooggespannen zijn. 'Vanavond. Zou je het erg vinden om via de achterdeur weg te gaan?'

'Prima,' zei hij. Hij begon overeind te komen en pakte toen mijn hand. Hij had lange tijd gehurkt gezeten bij die bloemen. Ik trok hem overeind. Een secondelang hield ik zijn warme hand vast. Nog een seconde bedekte hij mijn hand met zijn andere hand. Ik voelde een elektrisch stroompje via mijn arm naar mijn borst gaan.

'Ik kom je wel halen.'

'Nee, nee,' zei hij met paniek in zijn stem. 'Dat kan niet. Zullen we elkaar bij de bibliotheek ontmoeten?'

'Mijn kleinzoon gaat vaak naar de bibliotheek. Hij zou het vertellen.'

Hij sloot zijn ogen. 'Waarom kan ik niets bedenken?'

'Bij de cvs op Porter Square,' zei ik. 'Om zeven uur.'

En toen zag ik haar, Sandy, door het raam. 'Weg,' zei ik naar de achterdeur wijzend. 'Snel, snel.'

Voor een man van zestig met stijve benen slaagde hij erin te vliegen als het moest. Romeo Cacciamani was in een flits de achterdeur uit en ik had, voor het eerst in negenendertig jaar, een afspraakje.

Ik moest de hele dag mijn best doen om niet met de schaar in mijn vingers te knippen. Ik wist dat ik er ieder moment een af kon knippen. Ik haalde bestellingen door elkaar, stopte rozen in bloemstukken van vijfentwintig dollar en vergat steeds weer een pakje Chrysal bij de verse boeketten te doen.

'Wat is er?' bleef Sandy me vragen. 'Ben je boos op me om vanmorgen? Maak je je zorgen over Tony en Sarah?'

Ik verzekerde haar dat het niets met haar te maken had, maar Sandy zou zoiets nooit kunnen geloven. 'Ik ben gewoon moe,' zei ik. 'Ik heb niet goed geslapen.'

Eindelijk hield ze op. Het was tijd om Sarah van de peuterspeelzaal te halen. Het was niet druk en dus zei ik dat ze de rest van de dag maar vrij moest nemen. Ik probeerde edelmoedig te klinken maar ze was het waarschijnlijk toch al van plan geweest. Toen ze eenmaal weg was belde ik mijn beste vriendin Gloria. Gloria had een vreselijke tijd gehad tijdens haar eerste huwelijk maar ze werd beloond in haar tweede. We waren al bevriend sinds de vijfde klas. Ze was mijn eerste bruidsmeisje geweest en degene die met me meeging toen mijn scheiding werd uitgesproken. Gloria en ik kennen elkaar al heel lang.

'Cacciamani!' zei ze. Ze lachte zo hard dat ze uiteindelijk de telefoon neer moest leggen om een glas water voor zichzelf te halen.

'Ik ben krankzinnig.'

'Je was krankzinnig dat je die man al die jaren gehaat hebt. Je bent niet krankzinnig omdat je met hem uitgaat. Ik vind hem aardig. Hij ziet er goed uit.'

'Ken je hem?'

'Ik kén hem niet, maar ik heb wel eens bloemen bij hem gekocht. Ik heb met hem gesproken, goeiedag, wat een prachtig weer, dat soort dingen.'

Dit vond ik raadselachtig. 'Waarom kocht je bloemen bij Romeo? Ik dacht dat je je bloemen bij Roseman kocht.'

'Ik koop ze nu ook altijd bij Roseman en vroeger ook meestal, lieverd, maar om eerlijk te zijn: ik werd gek van Mort. Die man hield gewoon niet op met kletsen. Als ik haast had was het gewoon gemakkelijker om naar Romeo te gaan.'

'Daar kan ik inkomen. Dus je vindt me niet vreselijk? De meiden zullen me haten.'

'De meiden zullen het nooit weten als je een tikkeltje discreet bent. Je bent tenslotte volwassen. Je verdient het om uit te gaan. Trouwens, ik heb nooit begrepen waar die familievete in godsnaam om ging. Waarom haten jullie hen allemaal zo? Ik weet nog dat toen we kinderen waren je vader zo lang over de Cacciamani's tekeer kon gaan dat ik dacht dat er een ader zou knappen.'

'Dat is het gekke. Ik weet niet waarom we hen haten. En Romeo weet niet waarom zij ons haten. Ik denk dat het gewoon traditie is.'

'Dus jullie hebben gebroken met de traditie. Wat ga je aantrekken?' Gloria had meer ervaring op het gebied van afspraakjes dan ik, hetgeen betekent dat zij een beetje ervaring had en ik geen. 'Waar gaan jullie naartoe?'

'We ontmoeten elkaar bij de cvs op Porter Square.'

'Dat laat alle mogelijkheden zo'n beetje open, hoewel ik je voor een drogist adviseer om niet op chic te gaan. Weet je wat hij leuk vindt?'

'Hij houdt van wandelen.'

'Platte schoenen, dus. Dat brengt ons niet veel verder.'

Ik ging op een krukje zitten en leunde met mijn hoofd tegen het prikbord waar we de bestellingen ophingen. 'Misschien moet ik hem bellen, om te zeggen dat we het maar moeten vergeten.'

'Smeer parfum in je knieholtes. Dat vinden mannen heerlijk.'

'Ik denk niet dat hij in de buurt van mijn knieholtes komt.'

'En hoe staat het met anticonceptie?' zei ze droog.

Ik lachte. 'Niet aan de orde, leuk hoor. Is het al niet erg genoeg dat ik me zorgen maak over uiteten gaan? Wil je dat ik me ook nog zorgen ga maken over dingen die toch niet zullen gebeuren?'

'Het is beter als je voorbereid bent, emotioneel gezien. Je moet rekening houden met alle scenario's.'

Maar ik kon met geen enkel scenario rekening houden.

Niet eens met die waarin ik in een drogist zou belanden. Plotseling was ik verlamd door het soort angst dat ik niet meer had gevoeld sinds Mort me over Lila had verteld. 'Luister eens, Gloria, wees een goede vriendin, wil je? Kom vanavond langs om me op te halen. Laat iedereen zien dat we uiteten gaan en rijdt dan met me weg. De meiden zullen achterdochtig worden als ik vanavond weer uitga.'

'Wat ben ik? Het alibi? Wil je dat ik je naar de drogist breng?'

'Als je kunt,' zei ik. Ik schaamde me ervoor dat mijn stem zo klein en zielig klonk.

'Tuurlijk, Julie,' zei ze. 'Daar zijn bruidsmeisjes voor.'

Ik sloot de winkel een halfuur eerder en ging naar huis om een bad te nemen. Het huis was wonderbaarlijk leeg en de stilte gaf me een vals gevoel van vrede. Misschien zou alles goed komen. Misschien zouden we een leuk etentje hebben en zou niemand erachter komen. Gloria had gelijk. Dit was geen misdaad. Het enige waar ik het met haar niet over eens was, was het parfum. Bloemisten gebruiken dat spul nooit. Wij weten dat er te veel heerlijk geurende dingen in de wereld zijn om zelfs maar te proberen eraan te tippen.

5

Sandy, Tony en Sarah kwamen om zes uur terug van McDonald's, de inhoud van hun Happy Meal-verpakkingen bleek nog steeds een grote bron van vermaak. Om kwart over zes kwam Nora binnen. Ik had er geld op in kunnen zetten.

'Ik moest een huis verderop in de straat laten zien,' zei ze volmaakt kalm. 'Ik dacht ik ga even langs om hallo te zeggen.' Nora droeg een smaragdgroen pak met een Hermèssjaal losjes om haar hals gebonden. Mijn kleine Harleymeisje. Ze zou een goede carrière hebben kunnen maken bij de CIA.

'Je ziet er prachtig uit,' zei ik. Sandy, die in haar spijkerbroek en sweatshirt de rol speelde van het arme familielid, zag eruit alsof ze haar dag had verdeeld tussen planten en kinderen, wat ook zo was. Mokkend liep ze naar de keuken, waar ze de kinderen aanspoorde om te gaan zitten en hun ijs op te eten.

'Jij ziet er ook mooi uit,' zei Nora. 'Ga je uit?'

'Ja, toevallig wel. Gloria en ik gaan uiteten.'

'Op dinsdag?'

'Op dinsdag eten we ook.'

'Het verbaast me gewoon,' zei Nora.

'Dat is niet nodig.'

'Misschien blijf ik nog even. Ik heb Gloria in tijden niet gezien. Ze is gelukkig met Buzz, is het niet?'

'Ze hebben het heel goed met elkaar.'

Nora ijsbeerde wat in het rond, streek haar rok glad, zette een schemerlamp recht. Ze wilde hier niet zijn. Ze wilde naar huis, naar Alex, maar ze móest me even komen controleren. Ik kon niet al te boos op haar zijn aangezien haar ergste verdenkingen ten opzichte van mij volkomen terecht waren en ik van plan was mijn belofte aan haar te verbreken zodra ik bij de cvs aankwam.

'Hoe was het huis?' vroeg ik. Ik had graag nog wat tijd willen hebben om mijn lippenstift te inspecteren, om hem af te vegen en zes keer weer opnieuw op te doen, want ik her- innerde me dat dit het klassieke ritueel was voor een af- spraakje. Ik wilde tijd om zenuwachtig te zijn in plaats van in mijn woonkamer met Nora te moeten zitten praten.

'Welk huis?'

'Het huis dat je moest laten zien. Was het vlakbij?'

Nora maakte een licht hoofdgebaar naar het oosten. 'Die kant op.'

'Klinkt leuk,' zei ik.

Nora zuchtte en liet zich in een leunstoel vallen, verge- tend dat ze om haar rok moest denken. 'En de winkel. Hoe gaat het ermee?'

'Niet goed, dat weet je wel.'

'Ik begrijp niet waarom je hem niet gewoon wegdoet. Koop van het geld een flatje voor jezelf. Misschien iets in Florida. Je weet dat Alex en ik je willen helpen.'

'Ik wil er iets van maken.'

'Het wórdt niets, moeder. De zaken gaan ieder jaar slech- ter. Je moet ermee ophouden nu je nog iets hebt, anders ga je straks op de fles. Dan is alles waar pappie voor gewerkt heeft voor niets geweest.'

'Het is nooit het werk van je vader geweest. Het was het werk van mijn vader.' Ik had mezelf plechtig voorgenomen tegen de meisjes nooit slecht over Mort te praten, maar dat lukte me niet als het om zaken ging. Mort had goed werk gedaan. Hij had de zaak doen opbloeien. Maar hij had nooit om bloemen gegeven en uiteindelijk gaf hij ook niets om mij. Ik was nu niet in de stemming om te moeten aanhoren hoe ik zijn harde werken ruïneerde.

'Noem het maar hoe je wilt,' zei Nora. 'Ik maak me zorgen om jou. Ik wil dat je nog iets overhoudt. Het komt door de Cacciamani's, dat weet je toch wel? Daarom gaan de zaken slecht. Ze maken ons zwart waar ze maar kunnen. De grote bruiloften, de inzamelingsdiners, al dat soort zaken gaan naar de Cacciamani's.'

'We hebben bruiloften genoeg. Trouwens, ik denk erover om er een zaakje naast te beginnen in het organiseren van bruiloften. Ik help de meisjes altijd al met het vinden van een cateraar en het uitzoeken van de jurken voor hun bruidsmeisjes. Ik denk dat het een goede uitbreiding zou kunnen zijn.'

'Ik denk dat ze antisemitisch zijn.' Nora luisterde nooit naar me.

'Dat is krankzinnig. Waarom zeg je nou zoiets?'

'O,' zei ze, terwijl ze afwezig naar het snoepschaaltje op de salontafel keek. 'Ik ben veel onder de mensen. Ik hoor wel eens wat.'

'Je hoort dingen van je vader en die zijn niet waar.'

'Je neemt het voor hen op.'

'Ik neem het niet voor hen op, maar je kunt iemand niet antisemitisch noemen alleen maar omdat ze je niet aardig vinden. Zijn wij anti-katholiek?'

'Natuurlijk niet.'

'Nou, wat is het verschil?'

Nora keek me aan en slaagde er op de een of andere manier in om enigszins op me neer te kijken hoewel ik groter ben dan zij. 'Je begrijpt het gewoon niet.'

'Jezus,' zei ik. Toen werd er aangebeld en ik werd overspoeld door dankbaarheid. 'Ik ga uiteten. Als je hier op me wilt wachten vind ik het prima.' Ik liep naar de keuken en kuste Tony en Sarah welterusten. Sandy keek me even kwijnend aan en dus boog ik me naar haar toe en kuste haar ook.

Nora had Gloria binnengelaten en ze stonden in de woonkamer samen te lachen, als beste vriendinnen. 'We moeten gaan,' zei ik.

'Misschien kan ik meegaan,' zei Nora. 'Alex heeft vanavond een vergadering en ik heb geen plannen. Leuk, zo met meiden onder elkaar.'

Gloria haalde diep adem en legde haar hand op Nora's schouder. 'Lieverd,' zei ze, 'neem me niet kwalijk, maar ik wil je moeder vanavond voor me alleen hebben.'

'Is alles goed?'

Gloria haalde haar schouders op en slaagde erin zowel wanhopig als dapper te kijken. 'Er zijn gewoon een paar dingen waar ik met haar over wil praten. Ze is altijd zo'n schat voor me, weet je. Je boft dat je zo'n fantastische moeder hebt.'

'Hallo Gloria,' riep Sandy vanuit de keuken.

'Hallo schat. Geef de kinderen een kus van me, we moeten opschieten.' Toen sloeg Gloria een arm rond mijn schouder en duwde me de deur uit voordat er een verdere discussie kon ontstaan.

Het was een frisse, heldere avond, maar er waren nooit veel sterren te zien in Somerville. We straalden zelf te veel licht uit. Ik stapte in Gloria's Plymouth en ze gaf bijna plankgas toen ze de straat uitreed. 'Ik dacht eerst dat je je wat aanstelde omdat je wilde dat ik je vanavond kwam ophalen, maar het leek wel alsof ik je uit de gevangenis moest bevrijden.'

'Ze houden me in de gaten.'

'Dat kun je wel zeggen. Ik denk dat we een poosje moeten rondrijden om er zeker van te zijn dat Nora ons niet laat volgen. Weet jij waar ze die enige schoenen heeft gekocht?'

'Ik heb geen idee. Ik heb zelfs niet genoeg tijd gehad om zenuwachtig te zijn.'

'Nou, je ziet er goed uit.'

Gloria was degene die er goed uitzag. Ze had vorig jaar haar ogen laten doen en hoewel ik volhield dat ik niet in plastische chirurgie geïnteresseerd was, moest ik toegeven dat het resultaat indrukwekkend was.

'Ik weet nog dat ik op de middelbare school altijd tegen mijn moeder zei dat ik bij jou bleef slapen terwijl ik ertussenuit glipte met Jerry Shapiro. Je was een prima dekmantel. Mijn moeder vond altijd dat je zo'n goede invloed op me had.'

'Ooit hád ik ook een goede invloed,' zei ik.

'Ik ben gewoon blij dat ik iets terug kan doen. Je moet een beetje meer plezier hebben, Julie. Als je het mij vraagt zit je te veel opgesloten.' Gloria parkeerde langs de gele trottoirband voor de cvs. Het duurde nog tien minuten voordat het zeven uur zou zijn. 'Wil je dat ik je kom ophalen?'

Ik schudde mijn hoofd. 'Ik kom wel thuis.'

'Of misschien niet.' Ze leunde naar me toe en kuste me. 'Positief denken.'

Ik vroeg me af wat me had bezield om met een man af te spreken in een winkel met tl-buizen aan het plafond. Langzaam, nonchalant, begon ik de gangpaden door te lopen, ik probeerde er niet zo ongelooflijk verdacht uit te zien dat ik wegens winkeldiefstal gearresteerd zou worden voordat hij er zelfs maar was. Bij de make-upafdeling stonden flesjes foundation die je huid jong en perzikzacht zouden maken. Er stond een rij met flesjes nagellak die 'Fetish' heetten. Ik pakte een lippenstift die 'French Kiss' heette en zette hem toen weer terug in het plastic rekje. Huidcrèmes beloofden een wonderbaarlijke jeugdigheid, een ware facelift na één nacht slapen, en een complete verjongingskuur. De tijdschriftenafdeling was niet milder: 'Wat je moeder je nooit vertelde over meervoudige orgasmen', 'Hoe maak je dat hij smeekt om meer', 'Geweldige seks voor twintig-, dertig- en veertigjarigen'. Ik bleef staan en pakte het laatste tijdschrift. Hoe zat het met geweldige seks als je vijftig was? En zestig? Waarom was er geen geweldige seks voor zestigjarigen? Waren wij uitgeschakeld? Niet-gerechtigd? Waren we zo opgetogen om met onze kleinkinderen naar zwemles te gaan

dat we niet meer aan seks dachten? Waren we te zeer onder-
gedompeld in de tevredenheid van onze gouden jaren om
nog wat actie te willen? Ik zette het tijdschrift met de ach-
terkant naar voren in het rek: een meisje en een jongen, helemaal nat en onder het zand, renden door de golven met
een surfboard en sigaretten. Ik voelde me er niet beter door.

Tegen de tijd dat ik bij de afdeling geneesmiddelen kwam
had ik er genoeg van. Glijmiddelen naast sekslingerie. Een
muur vol condooms in alle mogelijke kleuren en materialen,
ze beloofden stuk voor stuk bescherming tegen seksueel
overdraagbare ziekten. Die was ik helemaal vergeten. Lams-
huidjes en Magnums. Condooms die verpakt waren als de
goudkleurige chocolademuntjes uit mijn jeugd. Het tijdschrift had gelijk. Ik deed niet meer mee. Ik stond daar naar
de doosjes te staren, ik las de afgrijselijk deprimerende slo-
gans ('Om de Liefde te voelen') en bedacht net dat seks een
sport voor jongeren was, toen ik een tikje op mijn schouder
voelde.

'Ben je aan het winkelen?' vroeg Romeo.

Ik had mijn bril niet op en dus was mijn neus slechts tien
centimeter van een doosje condooms verwijderd. 'Ik geloof
dat dit het vreselijkste moment van mijn leven is,' zei ik.

'Mooi zo,' zei hij. 'Dan kan het van nu af aan alleen maar
beter gaan.'

Romeo glimlachte naar me en ik dacht dat hij wel gelijk
moest hebben. Hij pakte mijn hand en samen liepen we het
gangpad met voorbehoedsmiddelen uit, hetgeen attent van
hem was omdat ik als het aan mij lag het liefst verdwenen
was via een gat in de vloer.

'Ik dacht dat we misschien naar Harvard Square konden
gaan om sushi te eten. Hou je van sushi?'

'Rauwe vis?'

'Ja, ik kon het eerst ook niet geloven. Plummy heeft me
ertoe overgehaald. Studenten eten het. Het is heel lekker als
je even kunt vergeten dat het rauw is, maar als het je niks

53

lijkt kunnen we ergens anders naartoe gaan.'

'Nee,' zei ik. 'Gezien de omstandigheden denk ik dat rauwe vis precies dat is wat we moeten eten. Het is gewaagd voedsel, vind je niet?'

'Ja.'

Toen we uit de CVS vertrokken en naar de auto liepen, bleef Romeo mijn hand vasthouden. Het was heerlijk als iemand je hand vasthield. Mort hield mijn hand vast toen we na de huwelijksvoltrekking de kerk uitliepen, maar dat was de laatste keer. Nadien hield ik de hand van mijn dochters vast toen ze klein waren, bij het oversteken van de straat en parkeerplaatsen, totdat ze er te groot voor werden en niet meer wilden. Ik miste het, dat heerlijke, ietwat zweterige contact tussen ons. Ik was blij dat ik de handjes van Tony en Sarah weer had. Ik was nog blijer om de hand van Romeo vast te houden, vooral omdat ik wist dat hij mijn hand niet had gepakt omdat hij bang was dat ik het verkeer in zou rennen, maar omdat hij het plezierig vond om hem in de zijne te voelen.

Een goede raad voor iemand die een afspraakje heeft en dat niet meer gewend is: als je zenuwachtig bent voor een afspraakje, vooral als het gaat om een afspraakje met je gezworen vijand, probeer die zenuwachtigheid dan kwijt te raken door iets te doen dat je nóg zenuwachtiger maakt, bijvoorbeeld parachutespringen, een gewapende overval plegen of sushi eten. Het was een leuk restaurant, heel rustig met papieren scheidingswanden en zachte verlichting. Als muziek klonk een fluit die werd begeleid door een kabbelend beekje en op het tafeltje van de receptioniste stond een ikebana-bloemstuk dat Romeo en ik beiden bewonderden. Ik liet hem bestellen, want zelfs de meest verlichte feministe weet niet hoe ze sushi moet bestellen als ze het nooit eerder gegeten heeft. De serveerster bracht ons een fles koude sake, maar toen ik hem oppakte nam Romeo hem van me over. 'Nooit je eigen glas inschenken,' zei Romeo terwijl hij mijn glas volschonk. 'Het brengt ongeluk. Dat heeft Plummy me verteld.' Toen gaf hij me de fles en ik schonk zijn glas vol. 'Op de mooiste bloemiste in Somerville,' zei hij.

'Doe jezelf niet tekort.' Ik tikte met mijn glas tegen het zijne.

'Nee echt,' zei hij. 'Dat ben jij. Dat ben jij absoluut.'

Na twee slokjes voelde ik me dronken en dat kwam niet door de sake. Toen werd er een zwartgelakt dienblad gebracht vol stukjes rauwe vis op blokjes witte rijst. Sommige stukjes vis waren vastgebonden met stukjes zeewier, alsof ze zo vers waren dat er een kans bestond dat ze weg zouden zwemmen. Plotseling leek de gedachte mijn eten op te moeten eten zoveel angstaanjagender dan een afspraakje hebben, dat ik me helemaal niet meer zenuwachtig voelde met Romeo in de buurt. Om het te vieren stopte ik een stukje zalm in mijn mond. Het smaakte niet slecht. De aal spuugde ik stiekem in mijn servet uit, en ook de zeeoor waarbij het net leek alsof je in een menselijk oor beet.

'Ik deed dat ook altijd,' zei Romeo. 'Je raakt eraan gewend.'

'Die?' vroeg ik, wijzend met een eetstokje. 'Zou ik daar gewend aan raken?'

'Aan alles,' zei hij. Hij strekte zijn armen over de tafel en raakte even mijn handen aan. Toen trok hij zijn handen weer terug. 'Ik kan nog steeds niet geloven dat ik met je uiteten ben.'

'Het is ook behoorlijk ongelooflijk,' zei ik en ik wilde zijn handen weer terug.

'Ik moet je bekennen dat je me niet toevallig tegenkwam bij dat seminar.'

'Wat?' Ik legde terloops een hand op tafel voor het geval hij die wilde.

'Ik liep wat rond en toen zag ik die vrouw, die mooie vrouw. Ik zag haar maar heel even, maar... ik weet het niet, ik had het gevoel dat ik haar kende.'

Dit verhaal stond me niet aan.

'Dus ik liep weer terug om haar naamplaatje te lezen, maar je zag mij niet.'

'Ik?'

'Toen kwam ik een derde keer terug. Ik botste praktisch tegen je op.'

'Ik had je niet eerder gezien.'

'We spraken even met elkaar en toen was je verdwenen.' Hij huiverde. 'De moed zonk me volledig in de schoenen. Ik dacht: nou, dat is het dan. Maar hoewel het mijn bedoeling was om weg te gaan, bleef ik in de gang op je zitten wachten. Heb jij wel eens het gevoel dat je iets hoe dan ook moet doen?'

'Tot voor kort niet,' zei ik. Ik pakte de fles sake en schonk Romeo's glas nog eens vol.

'Ik zou graag willen dat we elkaar beter leerden kenden. Als mensen, weet je wel, niet alleen als een Roseman en een Cacciamani.'

'Dat lijkt me een prima idee,' zei ik. 'Vertel me eens iets over je kinderen.' Kinderen vormden altijd een groot deel van het verhaal.

Romeo glimlachte en leunde achterover in zijn stoel. Ik kon zien dat hij van zijn kinderen hield. 'Nou, laat me eens even zien. Camille en ik begonnen al vroeg. Joe, de oudste, is veertig. Hij bezit een transportbedrijf en heeft het goed voor elkaar. Hij is getrouwd en heeft drie kinderen. Dan is er Raymond, hij is nog vrijgezel. Hij werkt bij me in de zaak. Hij is degene die de boel zal overnemen, hij is geweldig met bloemen. Nicky zit bij de luchtmacht en is in Duitsland gestationeerd. Hij is vijf jaar geleden met een Duits meisje getrouwd en ze hebben nu twee kinderen. Dan heb je Tony,' hij zuchtte. 'Je herinnert je Tony wel. Hij is nu drieëndertig. Hoe oud is Sandy?'

'Tweeëndertig.'

'Tony werkt voor een wereldgezondheidsorganisatie. Hij

zit in Ecuador en deelt vaccinaties uit.'

'Is hij nooit getrouwd?'

Romeo schudde zijn hoofd. 'Nee. Ik moet je vertellen dat ik denk dat ik het goed verpest heb voor Tony.'

'Hoe bedoel je?'

'Ik denk dat Tony echt verliefd was op Sandy, en dat het geen kalverliefde was. Ik denk niet dat hij er ooit overheen gekomen is.'

Ik dacht aan die arme Sandy thuis met haar kinderen en hun Happy Meal, haar boeken van de verpleegopleiding en haar huiswerk. Zij was er ook nooit overheen gekomen.

'Maar goed, over Alan heb ik je verteld. Hij en Theresa wonen weer thuis met hun drie kinderen. En dan heb je Plummy nog. Zij is twintig. Het was zo heerlijk voor Camille om een meisje te hebben. Ze is een echte schat.'

'En zeker ook een echte verrassing?'

'Vijf jongens, we dachten dat we alles gehad hadden. We dachten dat we alles op orde hadden en toen kwam Plummy. Maar daar zul je me nooit over horen klagen.'

'En jullie noemden haar Plummy?'

'Nee, nee, we noemden haar Patience omdat Camille zei dat er geduld voor nodig was om een dochter te krijgen. De jongens noemden haar Plummy. Ik weet niet eens wie ermee begon. Ze zeiden altijd: Is het geen Plummy? Ik denk dat ze het ergens bij de Beatles hebben opgepikt. De jongens waren gek op haar.'

De gedachte aan al die kinderen stond me wel aan, een voortdurend uit zijn voegen barstend huis. Al hun vrienden, hun vriendjes en vriendinnetjes en dan later weer hun kinderen. Al die bloemen voor al hun bruiloften. 'Het klinkt leuk.'

'Camille maakte het leuk. Ze was een geweldige moeder. Ik denk wel eens aan alles wat ze moest doen. Ik begreep het pas toen ze ziek werd, toen ik alles zelf moest gaan doen. Ze nam me tegen heel veel dingen in bescherming, weet je. Ze zorgde voor ons.'

We aten ijs van groene thee als dessert en dronken thee uit kleine kopjes. We spraken over de bloemenhandel, bij wie we inkochten, waar we zaken deden. We legden al onze handelsgeheimen op tafel, allebei, en ik leerde tijdens het eten meer dan ik ooit tijdens een seminar had geleerd. Ik vertelde hem dat ik van plan was iets van bruiloftenorganisatie erbij te doen. Dat was iets waar ik echt goed in was, grote feesten organiseren. Romeo zei dat hij daar bewondering voor had. Hij zei dat hij slecht was in organiseren. Romeo had te veel familieleden in dienst en hij zei dat hoewel zijn product goed was hij de neiging had chaotisch te zijn. Hij was eens een keer zelfs een hele bruiloft vergeten, de boeketten voor de bruidsmeisjes, de altaardecoratie, de bloemstukken voor op de tafels bij de receptie, alles. Hij had het genoteerd voor de week daarna. Ik, van mijn kant, had na vijf jaar in mijn eentje nog steeds niet het gevoel dat ik de zaak in de hand had en iedere maand ging het slechter. Ik ontdekte dat we beiden op de fles dreigden te gaan.

Het was niet bepaald een luchthartige conversatie waar we zo in verzeild raakten, maar toen we het restaurant verlieten had ik nog steeds zin om te zingen. Romeo zei dat hij me naar huis zou rijden, of in ieder geval zou hij me aan het eind van mijn straat afzetten en me naar huis laten lopen. Toen we bij het eind van mijn straat kwamen parkeerde hij de auto en deed de motor uit. 'Niemand heeft me ooit verteld dat een Roseman zo'n plezierig gezelschap was,' zei Romeo.

'Als we niet bezig zijn gedroogde nachtegaalsnaveltjes te verkopen.'

'Toen Camille stierf dacht ik dat het voorbij was voor mij. Ik kende haar al sinds de lagere school. We waren samen opgegroeid. Ik dacht: er zal nooit genoeg tijd zijn om iemand weer zo goed te leren kennen.'

'Dat begrijp ik,' zei ik. In de verte kon ik mijn huis zien. Alle lichten waren uit. Mijn eigen familie lag veilig te slapen.

'Maar ik ken je wel. Dat voelde ik gisteren. Dat voelde ik vanavond. Sinds mijn geboorte hoor ik verhalen over de Rosemannen. Het waren misschien niet de juiste verhalen...' Hij zweeg en trommelde met zijn duimen op het stuur.

'Ik weet wat je bedoelt,' zei ik. 'Uiteindelijk is er geen verschil tussen een Roseman en een Cacciamani.'

'Geen verschil,' zei hij. Hij had de neiging mijn woorden te herhalen en dat vond ik leuk. Het gaf me het gevoel dat hij echt naar me luisterde. En toen deed Romeo Cacciamani iets werkelijk wonderbaarlijks. Hij boog zich naar me toe en kuste me. Eerst alleen mijn onderlip en toen mijn bovenlip. Kleine kusjes, en na ieder kusje trok hij zich iets terug, alsof het voorbij was, alsof dat alles was, maar dan kwam hij weer terug voor meer. Hij legde zijn handen tegen mijn hoofd en streek met zijn duimen onder mijn ogen langs, toen kuste hij mijn oogleden, eerst rechts en toen links, toen mijn voorhoofd en vervolgens de scheiding in mijn haar. Ik legde mijn handen in zijn nek en kuste zijn mond, zijn nek. Dit had niemand mij verteld toen ze het over de zonden van de Cacciamani's hadden. Niemand had verteld dat ze zo goed konden kussen. Ik droomde, zonk, zwom in een warme donkere rivier van kussen, ik kuste handen en kinnen, iedere kus was zacht. Ik rook de zeep op zijn huid en de wasverzachter in zijn hemd. Ik rook zijn haar en proefde zijn mond die nog steeds naar sake en rijst smaakte. O, Romeo, dit maakt alles de moeite waard, al die avonden van overwerken en alleen thuiskomen, huilend over de boeken gebogen zitten en over de rozen die binnenkwamen met allemaal bruine plekjes op de bloemblaadjes, het bezorgd zijn over Sandy en Nora en de kinderen, de woede op Mort, het gemis van mijn ouders, alles werd van me afgetild en weggespoeld door die zee van tedere kussen, misschien niet voor altijd, maar wel voorlopig en wat kon ik me nog meer wensen? Op dat moment voelde ik me een stuk lichter. Ik was op m'n best, liefdevol en teder en vriendelijk. Het was zo heerlijk om die vrouw weer te zijn, zo heerlijk om iemand op deze manier vast te houden en vastgehouden te worden. Als op dat moment een gigantische meteoriet op ons gevallen was, daar geparkeerd aan het eind van mijn straat, met het gevoel van Romeo Cacciamani's tong tegen mijn tanden, dan zou mijn leven als een gelukkig leven beschouwd worden, een goed leven.

Ik kuste hem opnieuw. Ik had geen idee van tijd, maar na een poosje besloten we dat het laat genoeg was.

'Zal ik met je meelopen?' vroeg hij.

'Beter van niet.' Ik boog me naar hem toe en kuste hem weer.

'Het lukt ons wel, nietwaar? We vinden wel een manier.'

'Dat ben ik zeker van plan,' zei ik. Ik legde mijn hand op zijn hand en stapte toen uit de auto. Ik was helemaal van Boston naar Somerville gelopen. Vanavond had ik het gevoel alsof ik mijn huis voorbij kon lopen en in westelijke richting door kon blijven gaan. Ik kon naar Rochester lopen, naar Cleveland, naar Fort Wayne in Indiana. Ik kon helemaal naar Iowa lopen en door Nebraska, over de Rocky Mountains totdat ik in Oregon kwam, en zelfs dan zou ik niet stoppen als ik geen zin had. Ik kon de oceaan in lopen, ik kon zwemmen. Zo zeker voelde ik me van mezelf vanavond. Ik kon eeuwig doorgaan.

6

Ik liep in het donker de trap op naar mijn kamer. Ik kende de weg. Mijn lippen waren opgezwollen en ik bleef ze met mijn vingers, mijn tong aanraken. Ze deden het nog steeds goed. Ze functioneerden nog steeds als ik ze nodig had. Na zo'n periode van verwaarlozing was het een schok te ontdekken dat ze nog helemaal in orde waren, dat het nog steeds goede lippen waren. Ik vond de lamp naast mijn bed en deed hem aan. Ik ging op de rand zitten, veerde een paar keer. Als ik twintig geweest was zou ik met hem naar bed zijn gegaan. Ik zou niet hebben geweten hoe ik de auto uit had moeten komen na zo gekust te hebben. Na een minuut of twintig zou ik rechtstreeks op de knopen zijn afgedoken, zoals een lemming op de zee. Maar nu was ik ouder, verstandiger. Theoretisch gezien werd ik verondersteld in relaties te geloven, in iemand leren kennen en het genieten van de magie van het moment. Ik werd verondersteld blij te zijn met wat ik kreeg.

Dus waarom zat ik daar boven op mijn sprei en dacht dat ik zou ploffen? Waarom wilde ik de straat in rennen om te zien of ik zijn auto kon inhalen? O, het was prachtig, die kussen, stuk voor stuk meesterwerkjes, maar nu ik hier alleen in een kamer met een bed zat wilde ik het liefst met mijn hoofd tegen de muur bonken, zo verscheurd werd ik door mijn begeerte. Seks. Ik had al vijf jaar geen seks meer gehad. Nee, laten we eerlijk zijn, het was langer dan vijf jaar. Het was eerder vijf jaar plus de laatste vier of vijf maanden dat Mort er nog was en we geen seks hadden en het mij niet veel kon schelen omdat ik niet wist dat hij weg zou gaan. En hoe lang was het daarvoor geweest? Mijn vijfde decennium was min of meer een seksuele woestenij geweest. Het waren goede jaren die ik verprutst had, jaren waarin ik nacht na nacht het huis in vuur en vlam had kunnen zetten als er iemand was geweest die mij begeerde, die ik begeerde. Waar het op neerkwam was dat ik vanavond een kans had gehad en ik besloot, wat... te wachten? Waarom? Omdat vijf jaar en vier maanden niet lang genoeg was om de betekenis van het celibaat te leren kennen? Omdat ik zeker van mijn zaak wilde zijn, hém beter wilde leren kennen? Wie kende ik beter dan een Cacciamani? Omdat ik niet wilde dat hij dacht dat ik er zo een was? Ik was er zo een! Geef me één vinger. Ik wilde er een zijn, ik zou er een zijn geweest, maar in plaats daarvan stapte ik uit, volledig geprogrammeerd door een decennium dat bekend stond als de jaren vijftig. Ik viel voorover op het bed en beet in mijn kussen om het niet te uit schreeuwen. Ik zag Sandy en Tony en Sarah al door de gang naar mijn kamer rennen: 'Mam! Oma!' zouden ze schreeuwen. 'Wat is er met je? Wat is er aan de hand?' En wat moest ik dan zeggen? 'Kinderen, oma had vanavond de gelegenheid om de liefde te bedrijven met iemand die ze heel erg aardig vond. Aardiger dan ze ooit had gedacht iemand nog te kunnen vinden, en ze is gewoon weggegaan.' Moeders zijn zo trots op hun dochters als ze nee zeggen, en zo pijnlijk teleurgesteld in zichzelf als ze hetzelfde doen.

Dus wat moest ik nou doen? Slapen was uitgesloten en aangezien ik maar aan één ding kon denken dacht ik niet dat lezen of tv-kijken zou helpen. Ik dacht erover om Gloria te bellen, maar ze zou me nooit vergeven als ik haar wakker gemaakt had om te zeggen dat ik mijn kans om seks te hebben gemist had, net zoals ze het me nooit zou vergeven als ik niet zou bellen om te zeggen dat ik seks had gehad.

Er klonk een heel vreemd geluid buiten. Het klonk als hagel, maar dat was onmogelijk omdat ik net buiten was geweest en de heldere maan had gezien. Het klonk bijna alsof er steentjes tegen de zijkant van het huis tikten. Toen realiseerde ik me dat er inderdaad steentjes tegen de zijkant van het huis tikten. Ik keek uit het raam maar ik kon niets zien, dus draaide ik me om en deed het licht uit. Op de stoep voor mijn huis stond Romeo Cacciamani.

Ik zette mijn schouder tegen het raamkozijn en trok met beide handen aan de handvatten. Die verdomde Mort die zei dat we geen professionele schilder nodig hadden! Die verdomde Mort die zei dat hij de ramen zelf kon doen! Hij wist waarschijnlijk dat dit zou gebeuren. Hij wist dat Romeo een keer 's nachts zou komen en ik nooit in staat zou zijn dat verdomde raam open te krijgen. Hij had me ingeschilderd! De aderen in mijn onderarmen zwollen op en ik voelde een duidelijke brandende pijn in mijn nek. Ik hoopte dat hij het vreselijke gezicht dat ik trok bij mijn pogingen het klemmende raam open te krijgen niet zou zien en sloeg toen met mijn handpalmen tegen de randen totdat ze begonnen te steken. Ik keek op hem neer, hulpeloos, gevangen en ik zag dat hij gebaarde, iets zei zonder enig geluid te maken.

'Kom naar beneden,' zei hij.

Ik rende de trap af. Ik nam net als Tony drie treden tegelijk. Ik was de deur al uit, terug de nacht in en in zijn armen voordat ik zelfs maar wist dat ik de slaapkamer verlaten had, terug in het universum der kussen, behalve dat we nu stonden te kussen, onze armen zo stevig om elkaar heen geslagen dat je gedacht zou hebben dat we op een vliegveld waren en een van ons elk moment kon vertrekken voor een bijzonder hopeloze missie. Hoe lang was het geweest? Tien minuten? Vijftien? Maar ik had hem meer gemist dan ik me herinner ooit iemand gemist te hebben.

'Kom binnen,' zei ik. Ik kuste hem, eenmaal en toen steeds weer opnieuw. 'Ik kan niet geloven dat je terug bent gekomen.'

'Julie Roseman,' zei hij. 'Ik wist niet waar ik heen moest gaan.' Stilte, kus. 'Ik bleef maar rondrijden.'

'Kom binnen.' Kus. Ik wilde zijn nek kussen, mijn god, ik wilde zijn nek kussen maar dat zou betekenen dat ik zijn mond los moest laten en ik wist niet hoe ik dat moest doen.

'Ik kan niet binnenkomen, dat weet je toch.'

De voordeur stond wijdopen en het huis was donker. Een ogenblik had de hartstocht me dom gemaakt en ik was niet dom. Hij had gelijk. Niet binnen. 'Jouw huis?'

'Nee, nee, nee.'

'Een hotel. Ik heb creditcards.'

Hij bleef even staan. We waren duizelig. 'Nee maar,' zei hij. 'Zou je echt naar een hotel gaan?'

'Is dat niet waarom je bent teruggekomen?'

'Ik moest je gewoon weer zien. Ik wilde geen al te hoge verwachtingen hebben.' Hij kuste me, deze keer hard, het soort kus waaruit overduidelijk blijkt wat de ander in gedachten heeft. Het was vreugde. 'Ik weet het,' zei hij. 'Mijn winkel. Er is een plekje in mijn winkel.'

Ik deed zachtjes de voordeur dicht, een loos gebaar als je bedenkt hoe hard ik op mijn raam had staan slaan, toen liepen we naar zijn auto. We kusten elkaar bij elk stoplicht, elk stopteken. Waarom vonden autofabrikanten kuipstoelen een goed idee? Wat zou ik toen niet hebben willen geven voor een goede, ouderwetse voorbank. Ik denk dat het allemaal deel uitmaakte van de samenzwering die opgezet was om de seksuele revolutie te vertragen. Toen we onderdrukt waren gaven ze ons banken in alle automodellen, maar toen we er eenmaal achter waren hoe we ze moesten gebruiken zetten ze overal een versnellingspook tussen. Ik stak mijn hand in zijn overhemd en raakte de haartjes op zijn borst aan. Ik zou zenuwachtig geweest zijn, ik zou de fatsoensnormen in acht hebben genomen, maar vijf jaren en vier maanden maken dat een vrouw zichzelf vergeet en ik was alles vergeten.

Ik was wel eens langs Romeo's winkel gereden, maar het spreekt vanzelf dat ik er nooit binnen geweest was. Hij lag in een ander deel van Somerville, het deel waarvan ik graag beweerde dat het niet zo mooi was maar eigenlijk mankeerde er niets aan. Het was niet moeilijk om om elf uur 's avonds parkeerruimte te vinden. We kusten elkaar woest voor de winkel terwijl hij met zijn sleutels rommelde. Daar op straat liet hij zijn handen over mijn borsten glijden en langs mijn middel en toen probeerde hij de sleutels nog eens. 'Waarom zijt gij, Romeo?' stond op de deur en daaronder het woord 'Gesloten'.

Binnen was het donker en in de vage schaduwen die de straatlantaarn door het etalageraam wierp kon ik zien dat het er tamelijk leeg was. Alle bloemen zouden wel in de koelcel staan. Ik kon niet zeggen of het een mooie zaak was of niet maar ik stelde me voor dat het prachtig was, honderd keer zo mooi als het Ritz Carlton. 'Achterin heb ik een plekje,' zei hij. 'Daar slaap ik soms als ik een grote klus de deur uit moet krijgen. Ik werk graag 's nachts.' Hij sloot de deur achter ons af en begon de lichten aan te doen maar ik zei dat hij dat moest laten, een voorbijganger zou ons kunnen zien.

'Goed idee,' zei hij. Hij pakte mijn hand en kneep erin, maar plotseling waren we alletwee verlegen. Hoewel ik denk dat we in staat waren geweest alles tegen de deur aangedrukt te doen als we niet naarbinnen hadden gekund, maakte deze plotselinge privacy ons even onzeker over hoe we nu verder moesten.

'Laat me je winkel eens zien,' fluisterde ik. Ik wilde geen geluid maken.

'Zonder licht?' fluisterde hij terug.

'Waarom niet? Je weet waar alles staat.'

Hij liet me niet los. Ik wilde het zo. Ik wilde de dingen vertragen, niet voor een paar maanden of weken of zelfs dagen, maar gewoon voor een paar minuten, zodat ik kon genieten van hoe het voelde om zó naar iemand te verlangen en te weten dat je hem zou krijgen.

'De planten staan hier, azalea's, een paar overblijvende

planten in potten, Kaapse viooltjes. Ik heb dit jaar wat leuke potten kleine hyacinten.'

'Verkoop je veel azalea's?'

'Ze vliegen de deur uit.'

'Ik dacht altijd dat mensen die bij een kwekerij kochten.'

Hij zweeg en kuste me totdat mijn knieën trilden en ik tegen hem aan moest leunen. Had ik geweten dat er zulke kussen bestonden dan zou ik nooit met Mort zijn getrouwd.

'En deze, deze zijn mijn trots. Wacht, ik pak even een zaklantaarn. Blijf hier staan, verroer je niet.' Hij verdween in de duisternis en kwam terug met een kringetje licht. Het scheen over een tafel vol felgekleurde, pluizige speelgoeddiertjes, maar ik was ervan overtuigd dat Beanie Babies niet zijn grootste trots waren. Toen scheen hij op een tafel vol orchideeën. 'Kijk eens,' zei hij. 'Zijn ze niet bijzonder?'

En dat waren ze, het waren net bloemen van een weelderiger, vindingrijkere planeet. Er waren grote bij, wit en zwaar als schoteltjes vol room, kleine paarse en nietige gele spinnebollen zo groot als duimnagels. 'Ik heb nooit orchideeën durven proberen,' fluisterde ik.

'Het is niet zo moeilijk. Je moet alleen weten wat ze nodig hebben. Ik vind het de mooiste bloemen die er zijn.'

'Laat me de koelcel eens zien,' zei ik.

'Meen je dat?'

Ik pakte zijn hand en kuste zijn vingers. Romeo Cacciamani, wiens naam ik onder het eten nooit mocht uitspreken, ik kus je handen.

Hij trok de grote stalen deur open en we liepen naar binnen. Een schemerig, automatisch licht ging aan. Het was net zoals bij mij. Hij was vast door hetzelfde bedrijf gemaakt, in hetzelfde jaar. Het was dinsdag dus er was net nieuwe voorraad aangekomen. Er was precies genoeg ruimte voor ons om te staan. De bloemen stonden dicht opeengepakt in stevige bossen van vierentwintig rozen in plastic, gerbera's en vijf soorten lelies, roze en geel, Japanse irissen en emmers met leerachtig varenblad. De bloemen stonden op planken, ze stonden overal. Ze omringden ons en sloten ons in. Ik hield van de geur, te veel geuren om ze te kunnen onderscheiden, ze mengden zich en werden één geur. Iedereen klaagt over anjers. Men vindt anjers waardeloos, maar ze ruiken zalig en ze gaan heel lang mee. Ik wil alle dagen wel anjers.

Toen zag ik op de bovenste plank een bloemstuk. Een prachtig bloemstuk.

'Wat is dat?'

Romeo keek omhoog. 'Het is voor een verjaardag, de eerste bestelling van morgen.'

'Wie heeft het gemaakt?'

'Ik. Wie denk je dat hier de bloemen doet?'

'Heb jij dat gemaakt?' zei ik, mijn stem klonk zo zacht dat hij nauwelijks te verstaan was. 'Heb je dat zelf gemaakt?'

'Jazeker.'

'O, mijn god,' zei ik. 'Je bent echt een betere bloemist dan ik. Het is briljant. Ik meen het. Het is een van de mooiste bloemstukken die ik ooit heb gezien.' Het was gewaagd en tegelijkertijd volmaakt in balans. Ik zou er nooit aan gedacht hebben lelietjes-van-dalen en vingerhoedskruid te gebruiken bij die grote witte pioenen. Bijna wit, met alleen een beetje roze langs de rand en een paar dunne rode adertjes. Verder zaten er witte Engelse rozen in, net zo groot als de pioenen. Waar vond hij zulke bloemen? Hoe durfde hij er het geld aan uit te geven? Overal staken er witte tulpen uit en alles was in evenwicht, in evenwicht alsof het een volmaakt gecomponeerd stilleven was, een beeldhouwwerk in witroze marmer. Tegelijkertijd was het helemaal geen kunstwerk. Het was meer iets dat hij eenvoudigweg zo in de natuur gevonden had en dat weldra zou gaan groeien en zich over het vertrek zou verspreiden en de boel overnemen. Ik had al zolang ik me herinnerde naar bloemen gekeken en nooit eerder had ik zoiets volmaakts gezien. 'Misschien ben je wel geniaal.'

'Het is heel lief dat je dat zegt.' En toen hij me dit keer kuste wisten we beiden dat we zover waren. Ik was nu helemaal niet zenuwachtig meer. Ik was gelukkig, zo gelukkig dat ik mijn lachen nauwelijks kon houden. Waar anders zouden twee bloemisten vrijen dan in een koelcel die tjokvol bloemen zat? Het was koud, maar een kou waar ik aan gewend was. Hij trok mijn trui over mijn hoofd en ik maakte zijn overhemd los, begroef mijn gezicht tegen zijn borst. Morgen zou ik mijn eigen koelcel inlopen en de bossen rozen openmaken en niets zou meer hetzelfde zijn. Er scheen slechts een zwak licht, misschien veertig watt. Als er meer tijd was geweest of meer licht, zou ik aan mijn gewicht hebben gedacht, aan mijn ondergoed, maar misschien ook niet. Op dat moment was ik zo gelukkig met Romeo dat ik gelukkig met mezelf was. We trokken onze kleren uit en waren samen naakt, we hielden elkaar vast zowel voor warmte als uit liefde.

'Julie, het is ijskoud. Achterin staat een bed.'

Ik knikte en we liepen de koelcel uit. Aan alle tijdschriften die alleen maar over seks tot je veertigste schrijven vraag ik dit: heb je ooit wel eens midden in de nacht naakt met je minnaar door een bloemenwinkel gelopen? Nee? Vertel mij dan niets over seks.

Het was donker en hij hield mijn hand vast, hij bleef even staan om me te kussen en te strelen, dezelfde handen die de bloemen hadden geschikt, schikten nu mij. We waren Adam en Eva en dit was een donker paradijs vol bloemen. 'Hierin,' zei hij.

'Wie is daar?'

'Romeo?' zei ik. 'Ben jij dat?'

'Raymond?' zei Romeo.

'Pap? Ben jij dat, pap?'

Een betere vrouw zou misschien bij haar man zijn gebleven, maar daar waren mijn reflexen te goed voor. Ik vloog naakt door de winkel. Ik was net bij de deur van de koelcel

toen het licht aanging. Ik zal nooit weten of Raymond Cacciamani mijn blote billen heeft gezien. Ik trok de deur stevig
achter me dicht en vervloekte de veiligheidsvoorschriften
die niet toestonden dat ik de deur vanbinnen op slot kon
doen. Onze kleren lagen overal, ze hingen over de dahlia's
en verpletterden het gipskruid. Ik haalde ze uit elkaar, zijn
kleren uit de mijne en schoot ze zo snel aan als ooit een
mens zich heeft aangekleed. Wat mijn brandende hartstocht
betreft, de liefde van mijn leven, vergeet het maar. Het enige wat ik nu wilde was vertrekken.

Er werd op de deur geklopt. Romeo riep mijn naam, hij
wilde weten of alles in orde was.

'Natuurlijk,' zei ik. 'Vanzelfsprekend.'

Ik had mezelf weer tamelijk in de hand toen hij gekleed
in een versleten geruite badjas binnenkwam. 'Het is mijn
zoon, Raymond. Hij was aan het overwerken. Hij was in
slaap gevallen.'

'Nou, hij is nu weer wakker.'

Romeo zocht zijn ondergoed en trok het aan terwijl hij
zijn badjas aanhield. Hij kleedde zich zo snel mogelijk aan,
maar hij haalde het niet bij mij. 'We moeten nu naar buiten.'

'Liever niet,' zei ik. 'Ik kan het goed vinden met koelcel-
len. Ik zit hier prima.'

'Ik moet je naar huis brengen.'

'Ik zie niet in hoe,' zei ik, maar ik wist dat hij gelijk had.
Ik wist dat we hieruit moesten. Hij opende de deur en pakte
mijn hand, samen kwamen we de koelcel uit.

Daar stond Raymond in zijn boxershort en T-shirt, zijn
armen over elkaar geslagen. Hij was groter dan zijn vader,
had een ronder gezicht en minder haar, maar hij was nog
altijd aantrekkelijk genoeg. Hij grijnsde breed, alsof dit een
grappige situatie was, totdat hij zag wie ik was.

'Raymond,' zei Romeo. 'Dit is Julie Roseman.'

'Ik weet wie ze is,' zei hij. 'En ze moet maken dat ze deze
winkel uitkomt.'

'Raymond!' zei Romeo. Het was zijn vader-stem. Ik had het equivalent ervan. Hoewel de zoon duidelijk al achter in de dertig was had hij enige uitwerking op hem.

'Hoe kun je, kun je...' Hij probeerde uit alle macht een woord te vinden dat vreselijk genoeg was. Godzijdank slaagde hij daar niet in. 'Háár hier mee naartoe nemen.'

'Mevrouw Roseman en ik zijn vrienden,' zei Romeo. Ik kon het hem niet kwalijk nemen. Ik had ook niet geweten wat ik moest zeggen.

'Hoe kon je haar meenemen naar mama's winkel? Hoe kon je haar hier mee naartoe nemen? Wat zal oma zeggen, dat je hier met een Roseman komt voor een wip.'

'Raymond, hou op, alsjeblieft.'

'Ik houd niet op,' zei hij, hij was ook luider gaan praten. 'Niet een Roseman. Niet een Roseman in deze winkel. Niet een Roseman met mijn vader.'

Ik moet bekennen dat deze uitbarsting weinig emoties in me opriep behalve dan verwondering over wat er zo verschrikkelijk was misgegaan tussen ons. Deze Raymond verschilde niet zoveel van mijn eigen meiden. We konden onze kinderen aan weerszijden van de kamer opstellen en ze zouden tegen ons schreeuwen totdat onze oren begonnen te bloeden.

'Ik breng je naar huis, Julie.'

'Ze kan wel lopen,' zei Raymond.

Op dat moment draaide Romeo zich om en liep naar hem toe, ik denk dat hij hem wilde slaan maar Raymond hief zijn handpalmen en deed een stap opzij. 'Oké, oké,' zei hij en hij draaide zich om en liep weg. Maar voordat hij wegliep deed hij iets heel opmerkelijks. Hij sprak mijn naam uit en toen spuugde hij.

7

'We zijn erbij,' zei ik op weg naar huis. We hadden een poosje gezwegen, allebei even verbijsterd alsof we een vuist-slag hadden gekregen.

'Raymond,' zei Romeo hoofdschuddend. 'Als het Joe was geweest zou de hel zijn losgebroken. Als het Nicky of Alan, of zelfs Tony was geweest, zou ik het me hebben kunnen voorstellen. Maar Raymond is zo gemakkelijk. Van al mijn jongens zou ik gedacht hebben dat hij degene was die het niets kon schelen.'

'We hebben wel veel geluk,' zei ik somber. 'Denk je dat hij het de anderen zal vertellen?'

Romeo zuchtte. 'Ik denk dat ik beter terug kan gaan om te proberen het uit zijn hoofd te praten. Raymond kan ik wel aan, maar als ze zich hier allemaal mee gaan bemoeien wordt het niks.' Hij parkeerde voor mijn huis. Er was te veel met ons gebeurd om aan de veiligheid te denken.

'Ik wil niet te veel als een tiener klinken, maar denk je dat ik je nog eens zal zien?' vroeg ik.

'Je zult me zien. Je zult me overal zien. Ik ben gek op je, Julie Roseman.'

Ik kuste hem weer. Op dit moment voelden we ons verre van sexy en toch wist ik dat ik ook gek op hem was. Ik zei welterusten en voor de tweede keer die avond deed ik de deur van het slot en liep naar mijn kamer boven.

Ik had gedacht dat ik de hele nacht naar de muur zou lig-gen staren en mijn handen zou wringen, maar ik denk niet dat ik ooit in mijn leven zo moe ben geweest. Ik kreeg am-per mijn kleren uit, die ik op een hoopje op de grond liet liggen, en liet me toen in bed vallen.

Toen Sandy me wakker maakte was het licht buiten, niet alleen licht maar volop dag. 'Ik heb de kinderen al naar school gebracht. Voel je je wel goed? Hebben Gloria en jij gisteravond te veel gedronken?'

Ik moest echt nadenken waar ze het over had. Ik kon mijn ogen nauwelijks open krijgen. Die lieve Sandy had me zowel een kop koffie als een alibi gegeven. 'Ik weet niet wat me bezielde,' zei ik, de koffie pakkend. 'Gloria heeft zo'n slechte invloed op me.'

'Witte wijn?' vroeg Sandy.

'Manhattans,' fluisterde ik schor. 'En pinot noir bij het eten.'

'Druiven en graan,' zei Sandy vol medeleven. 'Dat moet je nooit doen. Rode wijn doet me altijd de das om.'

'Vertel mij wat.'

Ze klopte door de deken heen op mijn knie. 'Nou, ik ga vast in de winkel beginnen. Kom maar wanneer je kunt. Denk je dat je kunt komen?'

'Natuurlijk. Ik heb alleen even nodig om tot mezelf te komen. Ik kom zo achter je aan.'

Sandy glimlachte naar me, vol medeleven met mijn kater. Ze deed de deur zachtjes achter zich dicht.

Ik leunde naar opzij en belde Gloria.

'Naakt?' zei ze. 'Je ontmoette zijn zoon in je nakie?' Opnieuw lachte ze tot ze bijna hysterisch werd. Ik dacht erover om op te hangen maar ze was mijn enige bondgenoot.

'Hou op,' zei ik. 'Ik meen het. Ik heb vanmorgen geen gevoel voor humor.'

Ze sputterde even, lachte nog wat en schraapte toen haar keel. 'Oké,' zei ze. 'Ik heb mezelf weer in de hand. Ik ben er weer.'

'Ik was niet naakt toen ik hem ontmoette. Ik vloog terug naar de koelcel en trok mijn kleren aan.'

'Even voor de goede orde, had je seks voordat je de zoon ontmoette of erna?'

'Geen van beide. We zijn nooit zover gekomen.'

'Je hebt dit allemaal moeten meemaken zonder het zelfs maar te doen?'

'Je moet me geloven, nadat ik de zoon had ontmoet stond seks niet meer op de agenda. Ik weet niet of het ooit nog eens op de agenda komt. Na gisteravond heb ik het gevoel dat ik best nog eens vijf jaar celibaat kan verdragen.'

'Hij zal het vertellen, weet je. Je kunt je er maar beter op voorbereiden.'

'Wie? Romeo?'

'Nee, de zoon, Raymond. Hij zal het aan al die Cacciamanietjes vertellen. Ik ben bang dat dit heel wat onaangename gevolgen zal hebben.'

'Arme Romeo,' zei ik.

'Ik heb het niet over Romeo. Ik heb het over jou. Die mensen haten de Rosemannen, Julie. Je mag wel oppassen.'

Gloria las detectiveverhalen. Ze hield ervan om te zeggen dat je maar beter kon oppassen. Ik zei haar dat ik dat zou doen.

Na een razendsnelle douche genomen te hebben trok ik een T-shirt en een spijkerbroek aan, daaroverheen een jak en toen ging ik naar de winkel. Bij het stoplicht werd ik even modebewust en bond mijn haar in een staart. Ik had de hele dag in bed moeten blijven met schijfjes komkommer op mijn ogen, maar ik bedacht me dat ik de problemen alleen uit mijn hoofd zou kunnen zetten door te werken. Ik zou mijn leverancier bellen om wat azalea's te bestellen. Ik kon me niet voorstellen hoe het verder zou gaan en of en hoe ik Romeo ooit weer zou zien maar toen ik zo wanhopig werd dat ik het gevoel kreeg te stikken, dacht ik weer aan die kussen, in de auto, voor mijn huis, bij de orchideeën, in de koelcel. Die kussen zijn mijn redding. Ze vormden een reddingsboei in de zee waarin ik aan het verdrinken was en hielden me boven water.

Ik parkeerde de auto en liep naar de winkel. Door het raam zag ik dat Sandy met een klant stond te praten. Toen keek ik nog eens. Ik ken iedere uitdrukking van Sandy en zelfs van een afstandje kon ik zien dat ze in elkaar kromp. Toen hoorde ik een luide stem en vervolgens begon ik aanzienlijk sneller te lopen.

Eerst dacht ik dat we beroofd werden. Dat een man zonder pistool op klaarlichte dag was binnengekomen om tegen Sandy te schreeuwen net zolang tot ze hem de geldla gaf. Ik stond op het punt hem op zijn nek te springen. In zo'n stemming was ik. Een vechtpartijtje zou precies in mijn straatje te pas komen en als het niet goed mocht aflopen, tja, ik was fatalistisch gestemd vanmorgen.

'Hé,' brulde ik en ik sloeg de deur achter me dicht. 'Wat is hier aan de hand!'

Sandy liet zich opgelucht tegen de toonbank vallen, de tranen stroomden over haar gezicht. 'Hoe kon je?' zei ze tegen me, met snikken in haar stem.

'Hoe kon ik wat?'

Toen draaide de man zich om. Ik weet niet welke Cacciamani hij was, er waren er genoeg om een kleine stad te bevolken. Waarschijnlijk de zoon uit het leger die uit Duitsland over was komen vliegen met de speciale missie mij te vermoorden. Hij was groter dan Raymond. Hij was enorm. De naden van zijn t-shirt leken nauwelijks in staat de stof over zoveel spieren bij elkaar te houden. Hij leek op de kerel die in tekenfilms de moordenaar speelt, die nooit een woord zegt maar met zijn blote handen van tralies krakelingen maakt. Maar in zijn gezicht zag ik trekken van Romeo en ik voelde behalve angst meteen een vreemd soort genegenheid voor hem.

'Dus u bent mevrouw Roseman?'

Het had geen zin om moeilijk te doen over mijn naam. Ik zei hem dat ik dat was.

'Ik vertelde net aan uw dochter hier wat een slet haar

moeder is. Ik denk dat het in de familie zit. Zíj kreeg mijn broer Tony niet te pakken en u zult mijn vader of onze zaak niet in handen krijgen.'

Sandy viel neer in het rotanstoeltje dat we achter de kassa hebben staan, legde haar hoofd naast de kassa en gaf zichzelf volledig over aan haar verdriet.

'Hoor eens, meneer Cacciamani,' zei ik. 'Ik zou niets liever willen dan de zaken recht zetten tussen onze families, maar niet zo. Nu moet ik u vragen mijn winkel te verlaten.'

Hij keek me aan, misschien keek hij een beetje verbaasd of misschien geef ik mezelf te veel eer als ik denk dat ik hem ook maar enigszins van zijn stuk kon brengen. 'Nee, u moet luisteren. U begrijpt mij heel goed. Ik wil niemand van jullie, *niemand van jullie*, in de buurt van mijn familie hebben. Ik zal zorgen dat u daar vreselijk spijt van krijgt, mevrouw Roseman. Mijn grootouders, mijn ouders, zij hielden hun vete in stand met beledigingen, elkaar negeren en zo nu en dan wat geschreeuw. Dat was prima voor hen, maar nu heeft u te maken met een andere generatie Cacciamani's, *capisce?*'

Ik opende de deur. 'Wegwezen.'

Hij leunde met zijn rug tegen de toonbank en het kostte hem moeite zijn armen voor zijn massieve borstkas over elkaar te slaan. 'Niet voordat ik er zeker van ben dat u begrijpt wat ik zeg. Ik weet dat jullie Rosemannen niet zo snel van begrip zijn.'

Misschien had ik bang voor hem moeten zijn, maar ik dacht alleen maar dat ik mij niet door Romeo's zoon op mijn kop zou laten zitten. Dit was een belachelijke oorlog die niemand begreep en het was aan mij om er niet voor te zwichten. 'Welke zoon ben je?'

Hij stak één vinger omhoog om zijn rang aan te geven. 'Joe.'

'Joe, neem je bedreigingen tegen mij en mijn familie mee en maak dat je mijn winkel uitkomt of anders bel ik de politie.'

75

'En wat zegt u dan? Dat u een slet bent?'

'Waar haal je die taal vandaan?' zei ik. Hoe kon iemand die nog steeds meer dan vijf jaar geen seks had gehad een slet zijn? Het had geen zin te proberen dat aan hem uit te leggen. 'Wegwezen.'

'Goed,' zei hij en hij rekte zich uit tot zijn indrukwekkende volle lengte. 'Misschien weet u waar ik het over heb.' Er stonden vijf potjes kleine narcissen op de toonbank en hij boog zich voorover en kneep alle bloempjes eraf en hield ze in zijn hand. Terwijl hij mijn planten vernielde boog hij zich naar voren en zei tegen Sandy: 'Tony zou nooit met je getrouwd zijn. Hij vertelde me dat je niet deugde.'

Zover ik kon zien drong het niet eens tot haar door. Ze hield haar hoofd gebogen.

'Denk er eens over na, mevrouw Roseman,' zei Joe toen hij mijn winkel uitliep, een zorgvuldig spoor narcissenkopjes voor zich uitstrooiend als een bloemenmeisje op een bruiloft. Toen hij eindelijk buiten was deed ik de deur achter hem op slot.

'Christus, wat een gorilla!' Ik voelde het allemaal terugkomen, ik geef het toe. De vlammende haat tegen alles wat Cacciamani was schoot door mijn borst. Ik deed mijn best het te onderdrukken. Joe Cacciamani begreep het gewoon niet, net zoals ik het tot voor kort niet had begrepen. Waarschijnlijk was hij niet zo'n slechte vent. Hij ging gewoon op een andere manier met mensen om. Hij had een transportbedrijf. Dat was een ander slag mensen.

Ik liep om de toonbank heen en begon over Sandy's rug te wrijven. Arme Sandy, het was voor haar een veel grotere schok dan het ooit voor mij kon zijn. 'Sandy, is alles goed met je, lieverd?'

'Raak me niet aan.'

Mijn hand bleef midden in een rondtrekkende beweging steken. 'Is er iets gebeurd voordat ik kwam?'

Ze bleef haar hoofd gebogen houden. Haar enorme bos

donkere krulletjes verborg haar hele gezicht en haar schouders zodat haar hoofd leek op een poedel die op de toonbank lag te slapen. 'Hij zei dat je gisteravond achter meneer Cacciamani in zijn winkel aan zat toen zijn broer Raymond binnenkwam en je tegenhield. Hij zei dat je naakt was.'

'O, jezus.'

Sandy tilde haar hoofd op. Ze had haar bril niet op en haar contactlenzen waren waarschijnlijk weggespoeld door alle tranen. ' "O, we dronken gisteravond Manhattans," ' zei ze met een hoge stem. ' "Gloria en ik hebben een hele fles pinot noir leeggedronken." Had je alles van tevoren zo gepland, moeder? Had je al bedacht wat voor wijn je zou zeggen dat je had gedronken?'

'Nee.'

'Het enige wat ik je vroeg was om niet met meneer Cacciamani uit te gaan. Ik ben eerst naar jou toegekomen. Ik zei: moeder, het zou heel moeilijk voor me zijn als je met hem uitging. Ik dacht dat je het zou begrijpen. Alles.' Ze hikte en begon weer te huilen. 'Dat je alles zou begrijpen van Tony, van dat deel van mijn leven, dat heel pijnlijk voor me was en dus vroeg ik je om alsjeblieft niet met hem uit te gaan. Ik vroeg helemaal niet zoveel van je. Ik bedoel, je haatte hem tenslotte altijd, je noemde hem altijd "die vettige kleine wezel van een Cacciamani". Zou het te veel zijn als ik je vroeg om niet uit te gaan met die vettige kleine wezel van een Cacciamani? Alsof er geen paar miljard vrijgezellen op deze planeet zijn waar je uit kunt kiezen. Kon je me niet dat beetje respect betonen? Móest je gewoon recht in mijn gezicht tegen me liegen? Arme stomme Sandy, zeg gewoon wat ze wil horen en ga dan verder je gang en doe wat je wilt. Is dat de manier waarop je te werk gaat, moeder?'

Ik keek naar de kleine knoploze narcissen, naar hun vrolijke roze en blauwe aluminiumpotjes, hun gezonde groene stengels die energiek in het niets staken. Ik kon het op twee manieren bekijken, op de hare en de mijne. Moeders vinden het niet leuk om hun kinderen te kwetsen, zelfs niet als ze alleen maar proberen hun eigen leven te leiden. 'Sandy, het spijt me zo dat ik je gekwetst heb, en je hebt gelijk, ik had nooit tegen je moeten liegen. Maar ik zou willen dat je het ook eens vanuit mijn standpunt kon zien.'

'Dat wil ik niet.'

'Nou, probeer het toch maar eens. Toen je op de middelbare school zat hield je van Tony en je vader, je grootouders en ik trokken ons dat heel persoonlijk aan. We dachten dat je ons pijn wilde doen. We dachten dat je alleen maar zei dat je van hem hield om ons kwaad te maken. Maar nu weet ik dat dat niet zo was. Het kon je niet schelen dat hij een Cacciamani was. Hij was gewoon Tony, de jongen van wie je hield. Het gebeurde gewoon. Je kunt het toeval noemen of pech of wat je maar wilt. Het was fout van ons om te zeggen dat je Tony niet meer mocht zien. Ik wilde dat ik meer respect voor je keuzes had gehad, want je moet begrijpen dat ik nu ben waar jij vijftien jaar geleden was. Het is niet zo dat ik met een Cacciamani wil zijn. Ik zou niets liever willen dan morgen wakker worden om erachter te komen dat hij een andere achternaam heeft. Maar zo gaat het niet. Ik vind Romeo heel aardig. Jij zou dat beter dan wie ook moeten begrijpen. Het zijn goede mensen, in ieder geval sommigen van hen zijn goed. Ik begrijp niets van al die haat, maar ik moet je zeggen dat het wat mij betreft voorbij mag zijn.'

Sandy snoot haar neus in een stuk groen bloementissue en zuchtte diep. 'Dat lijkt heel erg op wat ik tegen jou zei toen ik op de middelbare school zat. En weet je wat je tegen mij zei, moeder? Je zei: "Je komt er wel overheen."' Sandy rechtte haar rug en staarde me recht in mijn ogen.

'Je komt er wel overheen,' zei ze.

8

Sandy nam de rest van de dag vrij, daar bedoel ik mee dat ze haar tas pakte en de winkel uitliep, tranen met tuitend huilend en met wapperende haren. Hoe had het in korte tijd zo ver kunnen komen? Ik probeerde de gebeurtenissen in gedachten nog eens door te nemen: een seminar, een simpele kop koffie, heb je zin in een wandelingetje? Ja, een wandeling, wat leuk. Ik kon niet begrijpen waar ik het pad der oorlogsmisdaden was ingeslagen. Maar de zaken stonden er slecht voor en ik kon me niet voorstellen dat het ooit beter zou gaan. Ik dacht aan Romeo. Ik vroeg me af of hij al wist dat Joe bij me was geweest. Ik kon hem niet bellen uit angst dat iemand anders de telefoon zou oppakken (zouden ze mijn stem herkennen? Zo snel al?) en ongetwijfeld was dat bij hem ook het geval. Het simpelste was om ermee te stoppen. Zo goed kende ik die man tenslotte niet. Hoeveel was het nu echt van mij gevraagd om hem op te geven? Maar ik wilde hem niet opgeven, en niet alleen omdat ik koppig ben, want dat ben ik. Het principe waar het hier om ging was reden genoeg om vol te houden, maar dat was mijn reden niet. Dat was Romeo. Hoe kon ik in godsnaam zoiets zeggen? Kende ik hem wel? Ik kende hem. Hij had gelijk, we waren zo lang vijanden geweest dat we een band hadden gekregen. De hartstochtelijke haat was hartstochtelijke liefde geworden. De ionen die ons vanaf het begin hadden samengebonden waren eenvoudigweg gehergroepeerd. Er waren er nog evenveel, ze waren nog even sterk maar nu speelden ze een zachte samba in mijn hart in plaats van een Wagneriaanse opera.

De hele dag deed ik mijn werk ongeïnteresseerd. Ik ging

met de bloemen om alsof het potloden of spatels waren. Elk bloemstuk dat ik in elkaar zette haalde ik weer uit elkaar, denkend aan het perfecte bloemstuk in Romeo's koelcel. Ik liet de knoploze narcissen rustig staan, hoewel al mijn klanten er een opmerking over maakten en de ingedroogde stelen met hun vingers aanraakten. 'Met deze gaat het niet zo goed,' zeiden ze meelevend.

'Nee,' zei ik, alsof het me niet opgevallen was. 'Ik geloof het niet.'

Ik bleef wachten tot de andere jongens van Cacciamani me zouden komen lastigvallen. Ik dacht dat het net als een sprookje zou zijn. Iedere volgende die kwam groter dan de vorige en hun dreigementen angstaanjagender totdat uiteindelijk een vuurspugende Cacciamani van tweeëneenhalve meter met overal haar de deur in zou schoppen en mijn winkel binnen zou komen. 'Laat mijn vader vrij!' zou hij schreeuwen en zijn vurige adem zou mijn wenkbrauwen verschroeien. Maar zelfs onder zoveel dreiging zou ik voet bij stuk houden.

'Sorry,' zou ik tegen de vuurspuger zeggen. 'Ik niet kunnen.'

En als dat gebeurde, als ik het tegen de ergste van hen had opgenomen, dan zou de betovering verbroken zijn. Ze zouden allemaal weer gewone knapen worden. Fatsoenlijke zoons die op onze bruiloft de limbo zouden dansen. Dan zou het aan me worden uitgelegd: het was een of andere eeuwenoude vloek die het gevolg was van een gebrek aan bewezen respect voor een of andere heks zo'n tweeduizend jaar geleden in Bimini, heel ver bij ons vandaan en waar wij op geen enkele manier verantwoordelijk voor konden worden gehouden. Mijn dochters zouden van Romeo houden en ik zou van zijn zoons houden. De telefoon rinkelde en plotseling werd mijn hart van hoop vervuld.

'Ik wacht op je bij jou thuis,' zei Nora. Toen hing ze op.

Dus het pad naar ongedaan gemaakte vervloekingen zou

iets verraderlijker worden dan ik me had voorgesteld. Ik draaide het bordje met 'Gesloten' voor en ging op weg om mijn lot onder ogen te zien.

Ik hield van Nora, ik weet dat ik dat al eerder heb gezegd, maar het zien van die Lexus voor mijn huis joeg mij meer angst aan dan het zien van Joe Cacciamani die mijn narcisjes onthoofde. Ik dacht aan dat prachtige oude lied, 'You Always Hurt the One You Love' en bedacht dat het tegenovergestelde ook waar was, 'Degene van wie je houdt doet je altijd pijn'.

'Alex en ik hebben het erover gehad en ik heb tegen Sandy gezegd dat zij en de kinderen bij ons kunnen komen wonen,' zei Nora voordat ik goed en wel in huis was.

Dit kwam vóór: hallo moeder. Dit kwam vóór: ik hoorde dat je een zware dag hebt gehad.

'Nora, jezus, doe het een beetje rustig aan, wil je?'

'Nee moeder, ik "doe het niet rustig aan".'

Waar die meiden die irritante gewoonte om me steeds te imiteren hebben opgepikt weet ik niet. Dat hadden ze niet van Mort of mij.

'Als je me in mijn ogen kijkt en iets zweert verwacht ik dat ik je kan geloven,' zei Nora, haar toon een subtiele mengeling van gekwetstheid en gerechtvaardigde afkeuring. 'Wat kunnen we nog meer verwachten, hm? Kun je me dat vertellen? Waar lieg je nog meer over?'

'Oké, jij wint. We hebben je geadopteerd.' Dit gesprek vond plaats in de hal. Ik had mijn jak nog aan. Mijn tas in mijn ene hand en mijn sleutels in de andere. 'Waar zijn de kinderen?'

'Sandy vond het beter als ze je nu even niet zien.'

'Waarom, omdat ik zo'n slechte invloed heb? Ik had een afspraakje, Nora, weet je nog wat dat is? Ik eigenlijk niet want ik heb er in geen negenendertig jaar een gehad. Een vrouw van zestig heeft een afspraakje en de kinderen moeten geëvacueerd worden.'

'Het gaat niet om dit afspraakje, zoals jij het noemt, hoewel jij het begrip afspraak nogal ruim neemt, uit wat ik heb gehoord. Waar het om gaat is...'

'Hou die gedachte even vast, lieverd, je moeder heeft een groot glas wijn nodig.' Ik liet de sleutels in mijn tas vallen en mijn tas op de grond. Toen liep ik naar de keuken. Nora liep vlak achter mij aan in haar sjieke grijze broekpak. Naast hardlopen deed ze heel veel aan yoga en ze was onvoorstelbaar fit, zo soepel en slank als een hazewind. Ik wilde haar zeggen dat ik geen ruzie met haar kon maken in mijn vuile spijkerbroek, niet als zij zo gekleed was. Daardoor was ik vreselijk in het nadeel.

'Het gaat om vertrouwen,' vervolgde ze. 'Het gaat om eerlijkheid. Het gaat om *familie*. Rosemannen gaan niet om met Cacciamani's. Dat was jouw leidraad bij onze opvoeding.'

Ik pakte de wijn uit de koelkast en hield hem voor haar in de lucht. Ze schudde haar hoofd. 'Ik-Heb-Een-Vergissing-Begaan,' zei ik. 'Zeg het maar als ik het nog duidelijker kan zeggen. Het spijt me. Niemand weet wat we hen hebben gedaan of wat zij ons hebben gedaan. Wat je zus op de middelbare school is overkomen had iedereen kunnen overkomen, had iedereen kunnen meemaken. Je zus is nu tweeëndertig. Het is tijd om dat achter ons te laten.'

'Ik kan mijn oren niet geloven.'

'Geloof ze maar wel.'

'Dus wat je wilt zeggen is dat je hem weer zult zien?'

Ik nam een slokje. Gedurende een seconde wilde ik echt met haar praten, wilde ik tot haar doordringen en haar vertellen in wat voor een moeilijke situatie ik zat. Ze was tenslotte mijn dochter. Waarom zetten we ons altijd schrap voor elk gesprek? 'Ik weet het niet. Ik zou het graag willen. Ik weet alleen niet zeker of er geen onoverkomelijke bezwaren zijn: ik moet rekening houden met jou en Sandy, ik moet rekening houden met zijn kinderen.'

'Sandy vertelde me dat ze vanmiddag bang was. Ze denkt dat hij echt zou kunnen proberen ons kwaad te doen. Ik zal je wel vertellen dat ik de politie ga bellen om een aanklacht in te dienen.'

'Dat kun je niet doen,' zei ik. 'Je was er niet eens bij.' Ik nam een iets groter slokje. Ik nam een slok. 'Ik blijf denken dat dit allemaal ooit voorbij gaat en dat ik dan met Romeo kan uitgaan. Hij is zo aardig, Nora. Dat zul je niet geloven. Hij is de aardigste man die ik ooit heb ontmoet.' Ik had geprobeerd met haar te praten, nu gokte ik op medeleven. Je moet nooit op medeleven gokken bij Nora.

'Dus dat is je antwoord,' zei ze. 'Ik neem de kinderen mee.'

'Waarom?'

'Als je dat nog niet begrijpt kan ik het je niet uitleggen.'

'Goed, komen ze vanavond weer terug?' Ik had zo vaak gewenst dat Sandy haar leven op orde zou krijgen en op zichzelf zou gaan wonen, maar nu vond ik de gedachte dat ze weg zouden gaan plotseling vreselijk. Geen kleine Tony meer om huiswerk mee te maken? Geen Sarah die wilde dat ik krulspelden bij haar indraaide? Ik was een goede oma. Misschien bleek ik uiteindelijk een slechte moeder te zijn, maar ik was een prima oma.

'Natuurlijk,' zei Nora, op haar horloge kijkend. 'Ze kunnen over een paar minuten terug zijn.'

'En dan gaan ze met jou mee? Sandy moet vanavond naar school. Neem jij de kinderen mee?'

'Niet vanavond,' zei Nora. 'Ik moet een huis laten zien en Alex heeft een vergadering. Eigenlijk moet ik nu weg.'

'Dus als ik het goed begrijp neem je Sandy en de kinderen mee omdat je vindt dat ik een slechte invloed heb, maar je doet het op een moment waarop het jou beter uitkomt?'

Nora wilde iets zeggen, maar toen bedacht ze zich, trok haar wenkbrauwen op en knikte. 'Daar komt het min of meer op neer.'

'Ik zal er niet op wachten.'

'Denk eens na over wat ik zei, moeder.' Nora had haar geelzijden jas weer aan en zeilde naar de deur.

'Ik denk na over alles wat je zegt. Ik kan niet ophouden erover na te denken.'

Na Nora's vertrek had ik ongeveer tien minuten om mijn wijn op te drinken en met een lege blik naar de keukenmuur te staren, en in die tijd viel mij in dat ik alles lichtgeel kon schilderen. Toen kwamen Sandy en de kinderen thuis. Wat mijn eigen kinderen ook van plan waren, ze leken in ieder geval zo fatsoenlijk te zijn hun kinderen er niets over te vertellen. Tony en Sarah vlogen op me af alsof ik zojuist was teruggekomen van een vredesmissie.

'We hebben je gisteravond niet gezien en toen zagen we je vanmorgen ook niet,' zei Tony ademloos. 'We hebben je zo lang niet gezien.'

'Heel lang,' zei ik, ik kuste hem vurig op zijn hoofd en kuste toen ook het hoofd van zijn zusje.

'Mam zei dat je vanmorgen uitsliep. Ik zei dat ik net zoals oma wilde uitslapen maar ze zei, nee, je moet naar school.'

'Ze had helemaal gelijk.' Ik keek naar Sandy die bij deur was blijven staan. Ze keek schuldig omdat ze Nora tegen me had opgestookt. Hoe kwaad ze ook op me was, ik denk dat ze zich realiseerde dat die straf buitenproportioneel was.

'Ik heb je getekend,' zei Sarah. 'Omdat je zo lang weg was.' Ze knielde neer en haalde een tekening uit haar roze Assepoester-rugzakje. Het was een stakerig figuurtje met haar haar in een knotje en een enorme bos bloemen in haar hand. De bloemen reikten van de grond tot ver voorbij haar hoofd.

'Prachtig,' zei ik.

'Dat ben jij,' zei Tony.

Nadat Sandy naar school was gegaan liet ik me volledig gaan. Ik maakte popcorn met Kayro-siroop en speelde oprecht enthousiast 'Go Fish' (wat telt is niet dát je het speelt,

84

maar hóe je het speelt). We keken naar de video van *Lady en de Vagebond*, ik moet zeggen een film die me bijna in tranen deed uitbarsten in mijn huidige omstandigheden. Ik identificeerde me zowel met Lady als Vagebond. Omdat het vrijdag was mochten ze ruim een uur later naar bed. Kortom, we vierden feest. Misschien probeerde ik me te verzekeren van mijn plaatsje in hun hart, maar ik denk dat dat al goed zat. Ik zou mijn familie niet op het spel zetten. Ik zou me niet op mijn kop laten zitten en ik zou niet dwaas doen. De truc was om tussen al deze dingen door te manoeuvreren. Ik stopte iedereen stevig in, las voor uit ieder boek dat me gevraagd werd, en wenste uitputtend welterusten. Ik geloof dat ik zelf binnen zeven minuten sliep.

Het was nog donker toen ik een hand op mijn schouder voelde. Meestal was ik alleen als ik wakker werd.

'Oma?'

Ik rolde me om. 'Tony, lieverd, wat is er?'

'Iemand steelt uw rozen.'

Ik keek op de klok. Het was kwart voor zes 's morgens. 'Heb je naar gedroomd?'

Hij schudde zijn hoofd en kroop onder de dekens. 'Het is geen droom. Het is een mevrouw. Er staat een heel oude mevrouw buiten en ze steelt onze rozen.'

Tony's slaapkamer was beneden aan de voorkant van het huis en de rozen groeien in feite recht onder zijn raam. 'Hoe ziet ze eruit?' vroeg ik voorzichtig.

'Als een heks.'

Binnen een seconde was ik uit bed en had mijn badjas aangetrokken, een donzig roze chenille ding dat Mort me een keer voor mijn verjaardag had gegeven toen ik op iets romantisch had gehoopt.

'Niet naar beneden gaan,' riep hij. 'Straks doet ze iets vreselijks.'

'Vergeet het maar, lieverd. Ik weet wie het is. Het is een

vriendin van me. Ze wil gewoon de rozen lenen. Ik ga alleen even naar beneden om haar gedag te zeggen.'

'Het is te vroeg.'

'Je hebt volkomen gelijk. Ik dacht dat ze later zou komen. Blijf jij maar in mijn bed liggen, dan kom ik zo weer boven en slapen we lekker samen uit.'

Opnieuw rende ik de trap af, de deur uit en de tuin in. Ik was vergeten mijn slippers aan te trekken en het gras voelde koud en nat van de dauw tussen mijn tenen.

Het oude kreng had mijn tuinslang op mijn kraan gezet, iets wat ik dit seizoen nog moest doen, en gaf de rozen water. Het was nog te vroeg voor bloemen maar ze zaten al in het blad en sommige hadden mooie knoppen. Ik zag het in één oogopslag: een schep, twee lege, enorme dozen kosjer zout. Ze moest wel kosjer nemen.

'Hé,' zei ik. 'Zet verdomme mijn kraan uit!'

Ze zag er goed uit voor haar negentig jaren, nog steeds groot en slank met een bos haar als staalwol. Ze stond een beetje gebogen maar ze was dan ook aan het graven geweest. Ze keek me vol minachting aan, alsof ik háár tuin in kwam stappen in plaats van andersom. 'Wat doe je zo vroeg uit je bed?' zei ze. 'Rosemannen zijn luilakken, dat weet iedereen.'

Ik trok de slang uit haar hand en gooide hem in het palmhout terwijl hij nog liep. Het kon me niet schelen hoe oud ze was, ik zou haar eruit gooien. 'Ga weg bij mijn bloemen. Blijf uit de buurt van mijn familie.' Aangezien mijn tuin, net zoals alle tuinen in Somerville, ongeveer de grootte van een postzegel had stond ik vlak voor haar.

'Nee, blijf jíj maar uit de buurt van míjn familie, snol die je bent.' Ze prikte met haar benige vinger in het zachte plekje onder mijn sleutelbeen, op een manier die best pijn deed. Je kon zien dat ze in haar leven heel wat mensen op dit plekje had geprikt, ze wist waar ze moest mikken. Voor mijn huis stond een blauwe Dodge stationair te draaien en toen dat oude kreng me prikte kwam de zoveelste Cacciamani eruit gevlogen, deze was niet zo groot als de andere twee, hetgeen mijn theorie over de steeds groter wordende zoons in duigen liet vallen.

'Hé, jij daar,' schreeuwde hij, hard genoeg om alle buren die het in hun hoofd hadden gehaald op een kille lentenacht met hun raam open te slapen wakker te maken. 'Blijf met je handen van mijn oma af!'

Het oude mens van Cacciamani glimlachte en sloeg haar armen over elkaar, terwijl haar rottweilerzoon op me afsprong.

'Heb je ogen in je hoofd?' vroeg ik. 'Zie je wel wie wie hier prikt?'

'Wie wie,' zei de oude vrouw. 'Wie hier wie prikt.' Ze draaide zich om naar het wolfsjong. 'Het is afgrijselijk. Ze kunnen niet eens goed praten.'

'Alsjeblieft,' zei ik. 'Jullie alletwee, blijf waar jullie zijn. Maak het jezelf gemakkelijk op mijn grasveld. Dit keer bel ik de politie.'

'Iedereen in de stad vindt je een waardeloze bloemist,' zei de oude vrouw. 'Je denkt waarschijnlijk dat zout kunstmest is.'

'Had u niet allang dood moeten zijn?' vroeg ik.

'Hé,' zei kleinzoon Cacciamani en hij deed weer een uitval.

Ze hief het skelet van haar hand die gehuld was in een laag perkamentpapier dat zo dun was dat de eerste stralen ochtendlicht erdoorheen schenen. 'Alan,' zei ze. 'Wacht in de auto op me.'

'Ik laat je niet met haar alleen. Dat is niet veilig.'

'Alan. De auto.'

Die mannen hadden niet veel te vertellen. Hij gehoorzaamde somber, draaide zich om en sloop terug naar de Dodge. Hij ging er niet in zitten maar leunde ertegenaan, terwijl de knalpot een reuze herrie maakte terwijl hij daar zo stond.

'Ik heb genoeg van jullie Rosemannen,' siste ze. 'Ik ben een oude vrouw en ik heb mijn familie mijn hele leven tegen mensen zoals jullie beschermd, tegen je ouders, en tegen die sletterige dochters van je. Ik verlaat deze aarde pas als ik weet dat mijn familie veilig is voor jullie.'

'Alleen al voor die opmerking over mijn dochters zou ik uw dunne nekje moeten breken, en dat zou ik kunnen, geloof me maar. Ik heb een slechte bui, mevrouw Cacciamani. U gaat te ver.'

'Als je nog eens in de buurt van mijn Romeo komt zul je weten wat een gebroken nek is.'

Ik probeerde me te beheersen. Dit zou tenslotte mijn grote kans kunnen zijn, mijn kans op de waarheid. 'Aangezien u mijn slaap heeft verstoord, mijn kleinzoon bang heeft gemaakt en mijn rozen heeft vermoord, wilt u misschien wel zo vriendelijk zijn me te vertellen wat in godsnaam uw probleem is?'

'Je bent niet goed genoeg om in één kamer met mijn zoon te verkeren.'

'Interessant. Ik bedoel daarvoor.'

'Je dochter probeerde mijn Tony een leven vol ellende in te sleuren.'

'Nou, Tony heeft zeker zo zijn eigen bijdrage geleverd.'

'Als hij met haar wilde trouwen dan is dat omdat ze tegen hem loog. Waarschijnlijk heeft ze gezegd dat ze zwanger was. Waarschijnlijk belazerde ze hem.'

'Alstublieft,' zei ik en ik ademde diep in. 'Voordat ik als moeder gedwongen word uw hart uit te rukken wil ik dat u terugdenkt aan de tijd voor dat gedoe met Sandy en Tony. Gebruik de laatste hersencellen die u heeft en probeer na te denken. Wat is er gebeurd tussen u en mijn ouders? Ik weet dat dit niet begon in een vorige generatie omdat uw familie en mijn familie niet met elkaar omgingen in de oude wereld.' Mijn handen trilden. Met elke vezel van mijn lichaam wilde ik haar grijpen, op de grond gooien en op haar borst op en neer springen. Een oude vrouw! Waar was mijn fatsoen gebleven? Nooit eerder in mijn leven heb ik zo'n brandende haat gevoeld.

'Waarom zou ik je dat vertellen?'

'Omdat dit waanzin is! Dit is krankzinnig.' Vanwege mijn buren probeerde ik mijn stem onder controle te houden.

Ze keek me een poosje aan. Ik had er een hekel aan oogcontact te maken, de dood leek van haar af te stralen. 'Ik ben je niets verschuldigd.' Ze wilde me weer prikken, maar dit keer zag ik het aankomen en ik deed een stap opzij waardoor ze voorover op mijn grasveld viel.

Ik liep achteruit naar mijn deur, stak mijn handen omhoog om aan te geven dat ik haar niet had aangeraakt en dat ik haar niet aan zou raken. Alan Cacciamani kwam aanrennen en tilde de oude takkenbos op. Ik draaide het familiedrama de rug toe, volkomen ongeïnteresseerd of ze dood was of levend. Ik ging naar binnen en deed de deur dicht.

9

Ik deed Sandy's deur open. Ze lag in een wolk krullen te slapen. 'Je moet meteen opstaan,' zei ik zonder veel tederheid. 'Ik heb je hulp nodig.'

Ze ging snel rechtop zitten. Ze was een moeder. Ze was het gewend snel wakker te worden. 'Wat is er?'

'De rozen,' zei ik. 'We moeten snel handelen.'

Nora zou zich nog eens hebben omgedraaid en weer in slaap zijn gevallen, maar Sandy wist door de klank van mijn stem dat ik het meende. Dit was belangrijker dan welke ruzie ook. Ik liep naar de linnenkast en pakte een stapel lakens en handdoeken. Ik ging naar de keuken en pakte een doos met grote vuilniszakken. Ik ging naar de garage en pakte twee scheppen. Ik deed het snel. Er was niet veel tijd. Ik wist niet eens of er zelfs maar tijd was.

'Wat is er?' vroeg Sandy, terwijl ze achter me aan scharrelde. Ze sliep in haar joggingpak dus ze was min of meer aangekleed. Ze had alleen maar haar bril opgezet en haar sloffen aangetrokken. Ik had nog steeds mijn badjas aan. Het kon me niets schelen.

'Dat oude kreng van een Cacciamani heeft zout op mijn rozen gestrooid!' Toen ik de voordeur opengooide verwachtte ik bijna ambulancepersoneel te zien dat wat er van haar over was kunstmatig beademde. Ik stelde me voor dat de tuin was afgezet als plek waar een misdaad was gepleegd, maar de eerste plezierige verrassing in ik weet niet hoeveel tijd was dat alle Cacciamani's verdwenen waren, afgevoerd in een blauwe Dodge. Het enige teken dat ze er geweest waren, waren de twee lege dozen zout. Ze had de schep meegenomen dus waarschijnlijk was ze niet stervende geweest.

'Heeft ze zout op de rozen gestrooid?' vroeg Sandy, ze bleef staan en keek me vol afgrijzen aan. 'Dat deed Sherman ook toen hij het Zuiden had platgebrand. Het is het laagste wat de ene mens de andere kan aandoen.'

'Strooide Sherman zout op de rozen?' Ik stak mijn schep in de aarde en hoorde gekraak. Sandy greep de andere schep en we begonnen te graven.

'Hij strooide niet alleen zout op de rozen. Hij strooide overal zout. Hij wilde al het akkerland vernietigen zodat de mensen die na de brand terugkwamen niet in staat zouden zijn voedsel te verbouwen.'

Sandy was heel goed geweest in geschiedenis. Ze had een goed geheugen voor feiten. 'Tja, nou, ik denk dat zij vanuit eenzelfde impuls handelde.' Ik spreidde een laken over het grasveld. 'Leg alle aarde daar maar op. Het moet er allemaal uit. Misschien hebben we een kans, maar het zal moeilijk worden. Ze heeft er water op gegoten.'

'Heeft ze water op het zout gegoten?' Nu begon Sandy pas uit alle macht te graven. Ze was niet meer gekwetst. Ze was niet bang. Ze was woest. Ze was mijn dochter. 'Alleen een volslagen psychopaat zou blijven staan om water op het zout te gieten.'

'Dat is nog niet alles,' vertelde ik haar. 'Het blijkt dat ze ook zout heeft gestrooid op de rozen van mijn moeder. Jaren geleden. Dat wisten we natuurlijk niet. We wisten alleen dat ze doodgingen en dat er nooit meer iets op die plek wilde groeien.' De meevaller was dat de oude vrouw niet sterk genoeg was om heel diep te graven. Er zaten nog hele brokken grof kosjer zout in de grond, brokjes diamant die schitterden in de zwarte aarde. Je moest haar wel min of meer bewonderen dat ze het zelf had gedaan, ze Alan verordonneerd had in de auto te blijven zitten terwijl zij als Sherman mijn pad op was gelopen om de misdaad te herhalen die ze God mag weten hoe vaak al daarvoor had begaan.

'Hoe is je moeder erachter gekomen dat zij het was?'

'Ze is er nooit achtergekomen. Romeo vertelde het me.'
Ik trok de planten eruit en schudde voorzichtig de aarde van hun wortels, vervolgens wikkelde ik ze in een handdoek. Mijn *Queen Elizabeth*, mijn *Londen Best*, mijn *Pink Lady*.

'Denk er eens over na, moeder. Denk eens na over het soort familie dat zoiets doet.'

Ik dacht erover na. Acht volwassen rozenstruiken in handdoeken gewikkeld op mijn grasveld. Ik dacht erover na terwijl ik nog dieper groef om al het zout dat naar beneden gesiepeld kon zijn eruit te krijgen. De grond was zwaar en nat en ik had het gevoel alsof ik een graf aan het graven was. Het schonk me enige perverse voldoening me voor te stellen dat het haar graf was. 'Ik denk erover na, Sandy. Ik denk over bijna niets anders na.'

Toen we dachten dat we breed en diep genoeg hadden gegraven om verzekerd te zijn van schone randen, liepen we naar de garage en begonnen twintigkilozakken met aarde en kunstmest tevoorschijn te slepen. Als bloemist krijg ik ongelooflijke korting op die zaken, leveranciers geven het me soms als aanmoedigingspremie. We bedekten de aarde met de beste potgrond die er te koop is. Toen spoelde ik voor de goede orde de rozenwortels boven de straat af en samen plantten Sandy en ik ze allemaal weer terug. Tegen de tijd dat we klaar waren, zaten we onder de modder en waren we uitgeput en trots. De kinderen sliepen nog, moe van hun avondje vol pret. Sandy kwam naar me toe en bleef een hele poos met haar armen om me heen geslagen staan.

'Ze heeft niet gewonnen,' zei ik.

'De kruidenier verkoopt nog veel meer zout,' zei Sandy.

'Dan graaf ik ze op zo vaak als het nodig is.'

'Wat ga je doen, moeder?' vroeg Sandy. We gingen samen op de veranda voor het huis zitten, te moe om naar boven te lopen. 'Echt, wat ga je doen?'

'Ik weet het nog niet.'

'Ik heb nagedacht over wat je zei. Ik wil proberen het

vanuit jouw standpunt te bekijken.'

'Dat vind ik fijn.'

Sandy keek beide richtingen van de straat in, misschien om te zien of we echt alleen waren, of er niet nog iemand achter de heg loerde. 'Heeft meneer Cacciamani nog iets over Tony gezegd?' vroeg ze aarzelend.

Misschien zou dit haar pijn doen, misschien ook niet. Ik wist het niet meer. Het enige wat ik zeker wist is dat ik tegen Sandy nergens over moest liegen. 'Hij is nooit getrouwd. Hij doet een vaccinatieprogramma in Ecuador.' Ik nam haar vuile hand in de mijne. 'Romeo zei dat het hem speet wat hij had gedaan om jullie uit elkaar te halen. Hij zei dat Tony echt van je hield, dat hij je nooit heeft kunnen vergeten.'

Sandy hield haar hoofd een ogenblik gebogen en ik wist niet of dit betekende dat ze weer moest huilen. 'Ik weet dat het vreselijk van me is,' zei ze uiteindelijk. 'Maar ik vind dit het aardigste wat iemand ooit heeft gezegd.'

Zaterdagen waren altijd een gekkenbende. Het eerste deel van de dag was de winkel meestal afgeladen en na twee uur 's middags was het doodstil. Meestal namen we Tony en Sarah gewoon mee en als een van beiden een feestje had of ergens ging spelen (de sociale agenda van die kinderen was ongelooflijk, Sandy moest zelfs al hun afspraken opschrijven om te voorkomen dat ze dubbele afspraken maakten) bracht een van ons hen ernaar toe en haastte zich dan weer terug naar het werk. Ik vond het leuk om de kinderen in de winkel te hebben. Het is net of je kinderen meeneemt naar een restaurant of in een vliegtuig of waar dan ook waar mensen het vreselijk vinden om kinderen te zien. Als je het vanaf het begin goed aanpakt en het onderdeel maakt van hun gewone leven, gedragen ze zich meestal goed. Ik was ook opgegroeid in deze bloemenwinkel en ik wist nog dat ik het heerlijk had gevonden om urenlang in een hoekje te zitten en bloementape rond draad te wikkelen. Tony vond het leuk om achter in de winkel te werken. Hoe meer taken je hem gaf, hoe leuker hij het vond. Hoewel hij ook graag vloeren veegde en dozen met lint uitpakte, vond hij niets zo fijn als het verwijderen van doorns, iets wat hij absoluut perfect uitvoerde. Iedere roos die je op zaterdag bij Roseman kocht zou je gegarandeerd niet prikken. Sarah daarentegen was meer het openhartige type. Ze genoot ervan om met vreemden te praten. Ik geloof dat haar eerste volledige zin 'Kan ik u ergens mee helpen?' was. Men was erg van haar gecharmeerd. Dat kind had water aan vissen kunnen verkopen.

We werkten vlot met zijn vieren. Sandy's en mijn overwinning op het zout van die ochtend had ons beiden een geweldige stimulans gegeven, en ook onze broze, pas hervonden verbondenheid. De mensen stelden graag vragen over onze samenwerking. 'Is dat je moeder?' 'Is dit je dochter?' 'Drie generaties? Wat geweldig!' Deze ochtend gaven we stralend antwoord. 'Ja, inderdaad!' 'Ze is inderdaad ongelooflijk.' 'Ik ben heel trots op haar, ja.'

Maar ondanks alle positieve gevoelens merkte ik de man op die in een oude zwarte Ford aan de overkant van de straat stond geparkeerd. Hij bleef daar een poosje staan en vertrok dan weer voor een uurtje. Net als ik dacht dat hij niet meer terug zou komen keek ik op en dan was hij er weer, lezend in zijn auto. Zo nu en dan stapte hij uit en liep de straat op en neer, maar hij verdween nooit uit het zicht van de winkel. Hij ging op zijn tenen staan en rolde met zijn schouders, dan stopte hij een paar kwartjes in de parkeermeter en ging nog wat in de auto zitten lezen. Vervolgens reed hij weg en kwam dan terug. Het was een zware man in een zwarte regenjas met een volle bos kortgeknipt grijs haar. Hij zag er Italiaans uit.

Sandy zag hem niet. Dat weet ik zeker, want als ze hem gezien had zou ze de politie hebben gebeld. Na dagenlang zelf gedreigd te hebben de politie te bellen wist ik dat het geen zin had om het nu te doen. Hoe zeker ik ook wist dat die man daar voor mij was, ik kon me er niet toe zetten te gaan bellen om te klagen over iemand die in mijn straat geparkeerd stond, geparkeerd bij een niet-verlopen parkeermeter. Toen de klanten binnenkwamen en er meer verkeer op straat was, hield de ene na de andere auto achter hem halt met de richtingaanwijzer aan, wachtend tot hij zou wegrijden. Maar de man in het zwart stak gewoon zijn arm uit het raampje en gebaarde dat ze door moesten rijden.

Om twee uur leek het alsof er een onzichtbare knop werd omgedraaid en de klanten gewoon ophielden te komen. Ik kan niet uitleggen hoe dat kan maar zo ging het elke week. Sandy riep de kinderen om naar huis te gaan. Ik zou tot vijf uur blijven, om de eventuele rommel van Tony op te ruimen en de boekhouding te doen. De mensen willen graag dat je op zaterdag tot vijf uur open bent, ook al komen ze niet.

'Oké,' zei Sandy. 'We gaan ervandoor.' Ze kuste mijn wang omdat we samen zo'n leuke dag hadden gehad, dat deden we bijna nooit meer. Ik hield haar even vast. Ik wist niet wat er zou gaan gebeuren, maar ik wist wel dat het vervelend zou kunnen zijn. Ik had even het overdreven sentimentele gevoel dat het de laatste keer kon zijn dat ik iedereen zag. Ik knuffelde de kinderen. Ik zou mezelf kunnen opofferen om hen te redden.

'Ga maar,' zei ik, proberend niet gesmoord te klinken. 'Maak er een leuke dag van.'

Ik stond in de deuropening en zwaaide hen na. Tony en Sarah vonden het heerlijk om te zwaaien en uitgezwaaid te worden. Toen ze weg waren bleef ik in de deuropening staan. Het was aardig van hem om te wachten totdat mijn familie weg was. Het gaf me een goed gevoel te weten dat hij alleen mij wilde.

Hij keek hoe Sandy en de kinderen wegreden en toen gooide hij het tijdschrift op de bank naast zich, stapte uit, controleerde de parkeermeter nog eens en stak de straat over. Ik was misselijk van angst maar wilde moedig lijken. Ik hield de deur voor hem open.

'Nee maar,' zei hij, 'wat een service.'

Hij was gekleed als priester. Het witte boordje was me niet eerder opgevallen. Ik was ervan overtuigd dat hij zo minder wantrouwen wekte. 'Wat wilt u?' zei ik plompverloren.

Hij keek me een beetje verbaasd aan. 'Willen? O ja, wat bloemen. Ik dacht erover om eens iets anders te kopen voor het altaar. Het wordt een beetje saai.'

Ik zuchtte. Plotseling viel het allemaal over me heen, het werk van die dag, het graven, de klanten. Ik voelde me vreemd. 'Laat die bloemen maar,' zei ik, niet grappig bedoeld. 'Kom maar terzake. Ik krijg echt genoeg van jullie. Als je me dood wilt schieten doe dat dan, het kan me niet schelen.'

Nu keek de man heel verbaasd. Het was absoluut uitgesloten dat hij een priester was die de hele dag in zijn auto had zitten nadenken over wat voor bloemstuk hij nu voor zijn kerk wilde. 'Doodschieten?'

'Wat de bedoeling ook is. Weet ik veel. Mij bedreigen, de doodsschrik op het lijf jagen, ik wil gewoon dat je doet wat je moet doen, oké?'

'Kent u mij?' vroeg de man in het zwart.

'Natuurlijk, u bent de man die sinds vanmorgen negen uur steeds weer aan de overkant van de straat parkeert, en wacht tot mijn dochter en mijn kleinkinderen vertrokken zijn om dan binnen te komen om onder vier ogen met me te kunnen spreken. Heb ik tot dusver gelijk?'

'O, ik ben hier niet goed in,' zei hij en hij keek oprecht beteuterd. 'Ik had nooit gedacht dat u het zou merken.'

'En hetgeen u me wilt zeggen heeft met de Cacciamani's te maken, klopt dat?'

'Hoe weet u dit allemaal? Ik ben onder de indruk. Romeo heeft gelijk, u bent me er eentje. Behalve wat het schieten betreft. Daar vergist u zich. Het is niet mijn bedoeling u neer te schieten.'

'Romeo?'

'Ik ben pater Alphonse,' zei hij en hij stak zijn vlezige hand uit. 'U mag me wel Al noemen.'

'Pater Al?'

'Gewoon Al is goed. Wat u maar wilt. U bent joods, klopt dat?'

Ik knikte.

'U zegt maar wat u prettig vindt. Ik luister overal naar. Ik ben niet zo dol op Alphonse maar u kunt me zo noemen als u dat wilt.'

'Heeft Romeo u gestuurd?'

'Het staat niet in mijn werkomschrijving: dopen, huwelijken inzegenen, laatste sacramenten toedienen, koeriersservice. Maar het zou voor de kerk een nieuwe richting kunnen zijn.' Hij grinnikte om zijn eigen grap. Op een ander moment had ik misschien ook kunnen grinniken, maar nu had ik geen zin in grappen.

'En Romeo heeft u gestuurd om...' Ik probeerde hem eraan te herinneren waarom hij was gekomen.

'Nou, hij zit in het nauw. Hij kan u niet bellen, hij kan niet langskomen. Hij wordt door zijn familie in de gaten gehouden, u wordt door uw familie in de gaten gehouden. Het idee was dat niemand een priester verdenkt, hetgeen grappig is omdat u dat wel meteen deed. U slaat echt alles.'

'Dat is me al eens eerder verteld.'

'Romeo en ik kennen elkaar al lang. Al heel lang. Vanaf de eerste klas van het St. Catherine's. Weet u dat hij ook priester wilde worden? Heeft hij u dat verteld? Toen kwam hij in een bus Camille tegen. Hij heeft de juiste beslissing genomen. Ze was een geweldige vrouw, Camille.' Hij wierp me een nerveuze blik toe. 'Dat bedoel ik niet onaardig tegenover u.'

'Ik geloof u.'

'Toen God Camille tot zich nam dacht Romeo dat er nooit meer iemand anders voor hem zou zijn. Hij dacht dat zijn leven voorbij was. En dat bleef hij zo'n beetje denken totdat hij u ontmoette.'

'Mij?'

'Romeo is gek op u,' zei de priester.

Gek op mij? Ik had hem wel kunnen kussen. Wat een gepingpong was dit. Haat de Cacciamani's, houd van Romeo. Haat de Cacciamani's, houd van Romeo. 'De rest van de familie is niet gek op me.'

'Hebben ze het u moeilijk gemaakt?'

'Breek me de bek niet open.'

Al schudde zijn hoofd en klakte met zijn tong. 'Daar was Romeo al bang voor. Hij maakt zich vreselijk zorgen over u. Hij wilde zelf hier naartoe komen maar hij dacht dat alles dan misschien nog moeilijker zou worden.'

'Dat heeft hij goed gedacht.'

'Er zit veel kwaad bloed tussen jullie families, veel ellende.'

Ik keek hem aan. Hij had een aardig gezicht, donkere ronde ogen en een brede mond. 'Zeg eens, u weet toch niet toevallig wat hier allemaal achter zit, of wel? U bent een priester, de mensen vertellen u van alles. Weet u waarom onze families elkaar zo haten?'

'De mensen vertellen mij dingen, maar die mag ik niet verder vertellen.'

'Zelfs niet in noodgevallen?'

'Het spijt me.' Hij haalde een envelop uit zijn jaszak en gaf die aan mij. 'Maar ik kan u wel dit geven.'

Op de envelop stond 'Julie'. Ik wou dat ik kon zeggen dat mijn hart opsprong van vreugde bij het zien van Romeo's handschrift, maar ik had het nooit eerder gezien.

'Toe maar,' zei hij, 'lees hem. Ik moet op antwoord wachten.' Al draaide mij de rug toe en staarde naar de asters. Hij boog zich voorover en rook eraan. Ik opende de brief.

Lieve Julie,

Toen ik je weer ontmoette vertelde ik je dat ik je een brief had willen schrijven. Nou, hier is hij dan. Zeggen dat het me spijt is niet voldoende om uit te drukken hoe vreselijk ik alles wat er gebeurd is vind. Als je maar half zoveel moeilijkheden hebt als ik dan weet je waar ik het over heb. Hoe goed ik ook weet dat de oplossing is elkaar los te laten en te vergeten, ik kan het gewoon niet. Wil je me morgenochtend om negen uur alsjeblieft in de CVS ontmoeten? Zeg tegen Al dat ik vanavond naar de mis ga. Geef me een dag de tijd, zodat we op zijn minst kunnen zorgen dat tussen ons alles weer goed is, ook al kunnen we dat niet voor onze families.

Liefs,

Romeo.

'O,' zei ik met de brief in mijn hand.

'Goed nieuws hoop ik,' zei Al.

'Ik weet het niet,' zei ik. 'Ik weet niet meer wat goed nieuws is.'

'Nou, u hoeft me nu geen antwoord te geven.' Hij haalde zijn portefeuille tevoorschijn en gaf me een kaartje. Zijn naam, zijn telefoonnummer en het adres van de St.-Catherinekerk stond erop. Het was net een gewoon visitiekaartje, maar er stond een plaatje van een ondersteboven hangende duif op. 'U kunt me bellen. Ik heb een antwoordapparaat.' Hij tikte op het kaartje. 'Dat is mijn privé-nummer.'

Ik draaide het kaartje om en om tussen mijn vingers en probeerde het allemaal te begrijpen. 'Hoor eens,' zei ik. 'Als u niet zo'n haast heeft kunt u dan nog een poosje blijven? Ik weet dat u hier al de hele dag bent, maar misschien heeft u nog wat tijd voor me, laten we zeggen tien minuten?'

'Zeker,' zei hij. 'Ik heb wel tien minuten.'

Ik stopte de brief en het kaartje in de zak van mijn jak. 'Kom maar even mee naar achteren. Ik zal een bloemstuk voor u maken. U zei toch dat u iets nieuws wilde voor het altaar?'

'O, ik zei maar wat. Romeo zorgt voor onze bloemen.'

'Nou, deze week geef ik u de bloemen. Deze week worden de bloemen voor Sint-Catherine geschonken door Roseman. Dat zullen de eerste joodse bloemen zijn.'

'Bloemen zijn bloemen,' zei hij. 'Ik zou ze nooit weigeren.'

Ik haalde een krukje voor Al en hij kwam bij me zitten terwijl ik aan de slag ging. Maandagmorgen werden de nieuwe bloemen bezorgd dus ik gaf hem alles wat ik had. Als er iemand naar een boeket was komen vragen had ik hem weg moeten sturen, moeten zeggen dat ik geen bloemen meer had. De bloemen waren sierlijk, torenhoog. Ze reikten met de toppen van hun bloemblaadjes naar een katholieke God. Het was niet zo mooi als dat van Romeo, maar het was een heel ambitieus bloemstuk. Al hoefde het alleen maar in zijn auto te schuiven. Hij hield mijn hand vast. Hij kon me niet genoeg bedanken.

'Nee,' zei ik. 'U wordt bedankt.'

'Verder nog iets?' vroeg Al me bij de stoeprand.

'Ja,' zei ik. 'Zeg maar dat ik er zal zijn.'

10

Ik ging vroeg dicht. Waarom niet? De bloemen waren op. Ik belde Gloria.

'Ik moet boodschappen doen,' zei ik. 'En ik heb raad nodig.'

'Mijn twee lievelingsdingen. Kan ik je raad geven terwijl we boodschappen doen?'

'Dat lijkt me het beste.'

'Buzz is vanmorgen naar de Cape gereden om te vissen. Volgens mijn berekeningen moet hij nu ongeveer muurvast zitten in het verkeer op de R6. Ik kom je wel halen.'

In de afgelopen jaren heb ik me vaak afgevraagd waarom mijn huwelijk met Mort niet meer zoals mijn vriendschap met Gloria kon zijn. Niet dat ik Mort nodig had om boodschappen mee te doen (hoewel een of twee keer in de afgelopen vierendertig jaar leuk zou zijn geweest) maar ik wilde dat ik hem had kunnen bellen als ik raad nodig had en dacht dat hij daar alles voor zou laten vallen. Gloria, wist ik, zou van haar eerste reis naar Europa terug komen vliegen als ik haar hulp nodig had en ik zou hetzelfde voor haar gedaan hebben. Dat wisten we van elkaar. Mort zou zeggen dat ik even moest wachten, wat het ook was kon wachten totdat hij zijn zaakjes had afgehandeld. Als hij dan kwam opdagen herinnerde hij zich niet meer dat ik iets van hem nodig had. Als ik het hem dan weer vroeg, zei hij dat ik even moest wachten om dan eerst een broodje te gaan klaarmaken. En zelfs als ik zijn aandacht had, liet hij hem algauw weer afdwalen. 'Moet je kijken, Julie,' zei hij dan terwijl ik mijn hart uitstortte. 'Zie je die watervlek op het plafond? Hoe lang zit die er al?' Wat er gebeurde was dat ik na verloop van jaren gewoon ophield met vragen, ik hield op met pogingen hem in vertrouwen te nemen. Als ik een probleem had ging ik naar Gloria. Als ik een succesje had behaald dat gevierd moest worden, belde ik haar, ging het om een mislukking, angst, een twijfelachtig bultje waardoor het nodig was dat iemand drie uur lang met me bij de dokter zat, dan was het Gloria, niet Mort, die er voor me was. Ik wist dat Gloria onvoorwaardelijk van me zou houden, zoals we van elkaar hadden gehouden toen we veertien waren en er niemand anders was om van te houden. Ze zei me de waarheid als ik daarom vroeg en soms ook als ik dat niet deed. Als we het niet met elkaar eens waren (wat zelden voorkwam) dan respecteerden we elkaar daarin. Ze had me geholpen tijdens Nora's motorrijder-fase en Sandy's aanstaande kinderhuwelijk. Ik had haar bijgestaan bij de anorexia van haar dochter Kate en bij de arrestatie van haar zoon Jeff na een eenmalige nacht van auto-inbraken. Nadat al onze kinderen volwassen waren, had ze twee maanden bij ons ingewoond toen ze eindelijk Shelly, haar eerste man, verliet. Hoewel Mort Gloria aardig vond mopperde hij niet over haar aanwezigheid in de logeerkamer, maar over onze intimiteit.

'Jullie zitten altijd te praten,' zei hij. 'Mijn god, er komt nooit een einde aan. Je zou denken dat ze twintig jaar in Tibet heeft gewoond in plaats van acht straten verder.'

Maar wat Mort niet begreep is dat ik wílde praten. Ik wilde iemand om dingen mee te bespreken, iemand die oplette en dingen onthield. En diegene was Gloria. Niet mijn echtgenoot.

Op weg naar Saks vertelde ik haar over het oude mens van Cacciamani. Ik vertelde haar over Al de priester toen we de parkeerplaats opreden. Toen we een goed parkeerplekje gevonden en de motor afgezet hadden liet ik haar de brief zien.

'Je hebt informatie voor me achtergehouden,' zei ze en ze zocht in haar tas naar haar bril. Ik gaf haar de mijne. 'Dit had je als eerste moeten geven.' Ze las hem zorgvuldig en toen las ze hem nog eens. Ze hield hem tegen het licht alsof ze zich ervan wilde verzekeren dat het geen bedrog was. 'Dit is prachtig. En heb je ja gezegd?'

'Ik heb ja gezegd.'

'Ik zou niets anders gedacht hebben. Een dwaas zou mijn beste vriendin niet kunnen zijn.'

'Ik moet een paar beslissingen nemen.'

'Hij is niet erg behulpzaam bij wat je aan moet. En dat gedoe om elkaar altijd bij de cvs te ontmoeten is een beetje vreemd.'

'Het is pas de tweede keer. En de eerste keer was mijn idee.'

'Goed. Misschien wordt het nog eens "jullie plekje". Dan kunnen jullie ernaartoe gaan om iets te vieren.'

We stapten uit de auto en liepen naar de winkel. Ik kon me eigenlijk niet permitteren om ergens geld aan uit te geven, maar ik moet toegeven dat ik het gevoel had dat ik na de afgelopen dagen wel iets verdiend had. 'Help me om me te beheersen.'

'Wat bedoel je?'

'Wat het geld betreft.'

'Dat is geen probleem. Maar de rest moet je zelf doen.' We draaiden door de deuren en onmiddellijk voelde ik me getroost door de geur van parfum, gezichtspoeder en nieuwe schoenen. Ik moest altijd denken aan Holly Golightly* die zei dat niemand iets slechts kon overkomen bij Tiffany's. Wat mij betreft gaat hetzelfde op voor Saks.

Gloria bleef bij de counter van Chanel staan, ze wimpelde beleefd de verkoopster af en trok met drie verschillende lippenstiften een streepje op haar hand. 'Het eerste waar je mijn goede raad voor nodig hebt is je kleding. Dat is het

*Hoofdpersoon uit *Breakfast at Tiffany's* van Truman Capote, verfilmd met in de hoofdrol Audrey Hepburn.

gemakkelijke deel. En het tweede: Sandy en Nora.' Ze bewoog haar hand heen en weer in het licht terwijl ze probeerde te beslissen welke kleur voor haar de beste was.

Ik pakte een stift die 'Splendor' heette en trok een lijntje over de binnenkant van mijn pols zodat ik het slachtoffer van een zelfmoordpoging leek. 'Inderdaad.'

'Ik zou je sterk willen aanraden te liegen, al mijn instincten zeggen mij dat je zou moeten liegen, dat weet je.'

'Ja.'

'Maar dat doe je niet, omdat je dat gewoon niet kunt. Je hebt ooit een keer gelogen en dat liep heel slecht af. Tegen je kinderen liegen is heel wat anders dan tegen je echtgenoot of zelfs vrienden liegen. Tegen je kinderen liegen kan allerlei soorten onaangename psychologische gevolgen hebben voor alle betrokkenen en dat wil je gewoon niet.'

'Aan de andere kant.' Ze bleef staan en pakte een mooi zwart doosje waarin vier ronde stukjes oogschaduw zaten, geel en lavendel, roze en grijs. 'Is dit niet prachtig? Heb je geen zin om dit te kopen? Ik ben nooit handig geweest met oogschaduw.' Ze legde het neer en pakte haar gedachtestroom weer op. 'Aan de andere kant roep je een hoop ellende over je af als je het hen vertelt.'

'Denk aan Saigon in 1972.'

'Precies,' zei ze. 'Dat is jouw probleem in een notendop.'

'En het antwoord?'

Gloria glimlachte bedroefd naar me. 'Er is geen antwoord, engel, omdat er geen vraag is. Je weet dat je het hen zult vertellen, je weet dat het vreselijk zal zijn, en dat is eigenlijk alles.' Er kwamen een paar tranen in haar ogen. Gloria was voor mij net zo makkelijk in tranen als voor zichzelf.

Ik voelde me getroost doordat ze zo met me meeleefde. Met Gloria praten was eigenlijk een beetje met mezelf praten, alleen veel prettiger. Met Mort was ik altijd aan het proberen te overtuigen, mijn standpunt duidelijk te maken en er argumenten voor aan te dragen. Gloria geloofde me meteen. Ze wilde me alleen maar helpen mijn eigen logische gevolgtrekkingen te maken.

'Dan is dat, geloof ik, opgelost,' zei ik somber.

'Nou ja, we hebben in ieder geval het leuke gedeelte nog. Je moet niet vergeten dat je morgen samen met Romeo bent.'

'Dat vergeet ik wel. Als je bedenkt hoe deze dag begonnen is kan ik dat nog steeds nauwelijks geloven.'

Gloria praatte het me uit mijn hoofd om de katoenen sweater die bijna tot mijn knieën kwam te kopen. Ze moedigde me aan een setje lingerie te kopen in een kleur die de mooie twintigjarige verkoopster 'champagne' noemde.

'Het staat prachtig bij uw huid,' zei de verkoopster.

'Zwart is te agressief voor de eerste keer,' zei Gloria. 'Zwart zegt dat je de hele tijd geweten hebt dat je seks zou hebben.'

'Ik weet helemaal niet of dat het geval zal zijn.'

'Zie je wel, des te meer reden om champagne te dragen.'

Zowel aan het slipje als de beha zat kant, maar niet zoveel dat ik het gevoel had me voor Belgische te willen uitgeven. 'Ik weet er zo weinig meer van. Ik koop mijn ondergoed al zo lang bij Zeeman dat ik niet eens meer wist dat ze het ergens anders ook verkopen.'

'Welkom terug in de wereld,' zei de verkoopster en ze pakte mijn creditcard.

Aangezien ik mijn hele bescheiden inkomen had uitgegeven aan twee stuks ondergoed besloot ik wat bovenkleding betreft genoegen te nemen met iets dat ik al had. Gloria vond het een goed idee, omdat Romeo achtennegentig procent van mijn kleding toch nooit eerder had gezien.

Gloria keek op haar horloge en nam me mee naar een telefoon bij het damestoilet. 'Je moet Nora nu bellen en zeggen dat ze langs moet komen.'

'Ik kan haar wel bellen als ik thuis kom.'

Gloria gaf me een kwartje en een dubbeltje. 'Zeg haar dat je onderweg bent en dat je wilt dat ze langs komt.' Ze keek me streng aan. 'Wil je dat ik het nummer draai?'

Ik pakte het kleingeld en belde mijn oudste dochter die tot mijn grote verbazing en teleurstelling de telefoon inderdaad beantwoordde. Ik verzocht haar te komen.

'Dit gaat zeker over de Cacciamani's, is het niet?'

'Inderdaad.'

Nora zuchtte. 'Sandy heeft me al verteld over het zout op de rozen.'

Een gunstig neveneffect van dit alles was dat het Sandy en Nora dichter tot elkaar leek te brengen. 'Nou, er is nog meer.'

'Zoveel dat je het me niet over de telefoon kunt vertellen?'

'Het zou gewoon een stuk eenvoudiger zijn als ik met jullie samen kon praten.'

Nora zuchtte nog eens. Ze kon echt heel goed zuchten. Het klonk tegelijkertijd verveeld en geërgerd. 'Goed dan. Ik ben er over een half uur.'

Ik hing op en keek op mijn horloge. 'Ze zei een half uur. We moeten echt gaan om op tijd te komen.'

'Je moet eens ophouden zo bang voor haar te zijn,' zei Gloria.

'Waarom?' zei ik. 'Ze is angstaanjagend.'

Gloria bracht me terug naar de bloemenwinkel zodat ik mijn auto kon ophalen. 'Je zult het morgen geweldig hebben,' zei ze. 'Op een dag kijken we hierop terug en dan lachen we ons rot. Dat zal nog jaren duren, maar het gebeurt.'

Ik sloeg mijn armen om haar nek. 'Ik zal je op je woord moeten geloven.'

Ze toeterde twee keer en zwaaide toen ze wegreed. Ik wilde dat ze met me mee naar huis had kunnen gaan, maar ze had het niet aangeboden omdat ze wist dat het niet juist was en ik wist dat het niet juist was en geen van beiden hadden we dat hoeven zeggen.

De gevreesde Lexus. Genoeg nou. Sandy en Nora zaten in de keuken. Ze hadden de kinderen voor herhalingen van *Gilligan's Island* gezet, waarvan ik zeker wist dat het hen absoluut geen goed zou doen en misschien zelfs zou schaden maar we hadden de privacy nodig.

'Nou,' zei Nora. Ze was nonchalant gekleed, wat inhield een strakke zwarte broek, een nauwsluitende zwarte sweater en haar haar weggestopt in een goudkleurige baret. Sandy was ook nonchalant gekleed, wat inhield het T-shirt van de Celtics dat net uit de droger kwam.

'Goed dan.' Ik ging tegenover hen zitten in de 'persopstelling' waarin deze familiebijeenkomsten meestal plaatsvonden. 'Vandaag kwam een priester me in de winkel opzoeken, een zekere pater Al, en hij bracht me een brief van Romeo.'

'Nadat ik vertrokken was?' vroeg Sandy.

'Om precies te zijn, ja. Je was net vertrokken.'

'Krijg je nu brieven van katholieke priesters?' vroeg Nora vol ongeloof.

'Hij had de brief niet geschreven, hij kwam hem alleen maar brengen, en misschien moet je je schrap zetten want er komt nog meer.' Ik kon er niets aan doen dat ik terugdacht aan de avond dat ik beide meiden had gebeld om naar huis te komen, om ze te vertellen dat Mort met Lila vertrokken was. Toen was Sandy nog met Sandy Anderson getrouwd en beide meiden hadden hun echtgenoot meegenomen. Het was zo vernederend geweest om zo in het openbaar over mijn privé-leven te moeten praten, om hen allemaal te laten weten dat mijn huwelijk mislukt was en dat hun vader de voorkeur gaf aan een veel jongere, veel aantrekkelijker vrouw dan ik. De meiden huilden alletwee. Ze hadden erop gerekend dat we altijd samen zouden zijn. Ik dacht dat die avond de moeilijkste avond uit mijn leven was. Nu bleek dat ik me vergist had.

'Hij wil je zien,' zei Sandy.

Ik kon haar wel zoenen. 'Morgenochtend.'

Nora keek op haar horloge. 'Nou, omdat het nu al zeven uur is denk ik niet dat je ons hebt gebeld om het hier nog over te hebben. Ik denk dat je ja gezegd hebt en dat je ons alleen nog de details wilt meedelen.'

'Ik was niet van plan om toestemming te vragen, als je dat bedoelt.'

'Het antwoord is nee,' zei Nora en ze stond op. 'We zijn bedreigd en lastiggevallen, eigendommen zijn beschadigd.' Nora nam alles aangaande eigendommen heel serieus. 'Dit zijn niet meer gewoon mensen die we niet aardig vinden. Dit zijn gevaarlijke mensen. Gevaarlijk voor jou en mij en Sandy, om het over de kinderen nog maar niet te hebben. Je kunt niet gewoon blijven denken dat jij de enige op de wereld bent wiens behoeftes tellen. Je moet aan je familie denken.'

Ik probeerde me te herinneren hoe Nora het nieuws van haar vaders vertrek had opgenomen. Ik vroeg me af of ze hem ooit had opgebeld en hem ervan langs had gegeven, geprobeerd had om de zaken weer naar haar hand te zetten. Ik heb geen idee.

'Ik geef toe dat de dingen uit de hand zijn gelopen maar ik wil Romeo weer zien, ik moet hem weer zien. Ik wil alleen niet tegen jullie liegen. Jullie vroegen me jullie de waarheid te zeggen, dit is de waarheid.'

Sandy dacht erover na. Ze hield het verleden in haar ene hand en het heden in haar andere en maakte stille afwegingen. Ik vroeg haar hoe zij erover dacht.

'Ik denk dat dit heel, heel gekke mensen zijn,' zei ze kalm. 'En ik denk dat je een vergissing begaat.'

Daar kon ik mee leven.

'Je moet me niet meer bellen,' zei Nora. 'Ik moet afstand van dit alles nemen.' Ze pakte haar tas en nam afscheid van haar zus, haar nichtje en haar neefje.

'Betekent dat "Je moet me niet bellen om me te vertellen hoe het gaat" of betekent het "Je moet me nooit meer bellen"?'

'Dat laat ik je nog weten,' zei Nora en toen was ze weg.

Ik voelde een brok in mijn keel. Niet dat ik haar goedkeuring nodig had. Niet dat ik me zorgen maakte dat ze nooit meer terug zou komen. Maar we voeren nu al zoveel jaar dezelfde strijd dat het me gewoon mateloos droevig maakt. Ze was mijn dochter, ze was mijn baby geweest. We waren een poosje één lichaam geweest. Het leek wel alsof ik haar sinds die tijd altijd had gemist.

'Dus jij gaat er niet vandoor?' zei ik en ik draaide me om naar Sandy.

'Ik ga niet verhuizen, als je dat bedoelt, maar ik wil dat je naar me luistert mam. Ik denk dat je een ernstige fout maakt. Dat is wat je tegen mij zei, en misschien had je ook wel, omdat ik nog zo jong was en in die periode van mijn leven, gelijk.'

'Maar ik ben veel ouder.'

'Dat weet ik,' zei ze zonder onvriendelijk te klinken. 'Daarom zou je beter moeten weten.'

Tony kwam met een zaklantaarn de keuken in. 'Kom mee naar buiten, oma. Ik heb een verrassing voor je.'

'Hij is er de hele middag mee bezig geweest,' zei Sandy.

Ik volgde mijn kleinzoon de tuin in. In zijn ene hand had hij een stukje papier en in zijn andere een zaklantaarn. Hij nam me mee naar de rozen die er volkomen gezond uitzagen in hun nieuwe bedje zwarte aarde.

'Ik weet dat die vrouw niet kwam om rozen te lenen. Ik weet dat ze ze wilde stelen,' zei hij.

'Oké,' zei ik. 'Je hebt gelijk.'

'Dus ik heb iets gemaakt. Dat hebben we bij de welpen geleerd. Kijk, ik heb wat takjes gebroken en ze in de grond gezet, zie je wel?' Hij scheen op de grond en inderdaad stonden er een stuk of zes takjes kriskras tussen de rozenstruiken. 'Toen heb ik een kaart gemaakt waarop staat waar alle takjes nu staan. Dan kom ik alle ochtenden met de kaart om te controleren of de takjes nog op dezelfde plaats staan. Meneer Hollins zegt dat je eraan moet denken dat de wind er een paar omver kan blazen dus dat je niet moet schrikken als ze niet op precies dezelfde plek staan, maar je weet het wanneer er iemand is geweest.'

Ik hurkte neer en bekeek zijn werk. Tony was een heel nauwgezet knulletje. 'Het is een goed plan,' zei ik. 'Dank je.'

'Dan zijn we in ieder geval veilig,' zei hij.

Laat me nog even verder gaan met het sprookje. Het was ingewikkelder dan het aanvankelijk leek. Het waren niet alleen de vijf verschrikkelijke vuurspugende zoons waar ik mee te stellen kreeg. Ik moest ook nog een woestijn door en vervolgens een jungle vol doorns. Er waren zeven jaar van droogte en vervolgens zeven jaar van overstromingen, gevolgd door hongersnood en ziektes en oorlog. Bovendien was er de last van de twijfel die ik altijd in een jutezak achter me aan sleepte. Het was ongetwijfeld in mijn lot vastgelegd dat Twijfel mij zou vergezellen. Het had een jammerende hoge stem die bij iedere stap die ik deed in mijn oren klonk.

'Weet je het zeker?' zou Twijfel zeggen. 'Ken je hem? Is hij de pijn die je iedereen aandoet wel waard?'

'Hou je kop,' zeg ik tegen de zak.

'Heb je gedacht aan de mensen van wie je houdt?' zegt Twijfel. 'De mensen die je kwetst?'

'Hou je kop,' zeg ik.

'Misschien is hij er niet eens, heb je daaraan gedacht? Na al die tijd kon het wel eens niets anders dan een grote grap blijken en dan moet jij de rest van je leven met de schaamte en schande leven.'

'Hou je kop. Hou je kop. Hou je kop.'

11

Ik was om zes uur op, ik bedoel uit bed. Ik was al sinds drie uur wakker. Ik verzorgde mijn haar en föhnde het. Ik gebruikte wat van Sandy's gezichtsscrub voor het geval hij van plan was mijn poriën van dichtbij te bekijken. Ik knipte alle prijskaartjes van mijn champagnekleurige ondergoed en trok het aan. Het was mooi. Het zou het meisje dat het had verkocht veel mooier staan, maar het zou haar te groot zijn geweest en trouwens, zij was hier niet. Ik verkleedde me drie keer en besloot toen dat het genoeg was. Het volgende wat ik aantrok zou ik aanhouden, anders eindigde straks alles op de vloer van de kast en zonk ik weg in het moeras. Ik wist niet dat dit deel van de menselijke aard overleefde. Ik dacht dat het op een bepaalde leeftijd gewoon ophield en verdween, als melktanden en menstruatie. Ik dacht dat ik over het vermogen om voor een volle kast te staan en te denken dat ik niets had heen was gegroeid. Hier stond ik, het levende bewijs dat het mogelijk is om weer een tienermeisje te worden. Uiteindelijk koos ik een broek van stevig linnen en een donkerblauwe sweater met een boothals, een outfit waarvan ik dacht dat ik er modieus maar nonchalant in uitzag. Ik begon me met de minuut minder zorgen te maken. Alle dingen waarover ik me zorgen had moeten maken vielen weg: daar ging Nora's toorn. Daar gingen alle bedreigingen van de jongens Cacciamani (ik begon aan ze te denken als Comanche-jongens). Daar ging de oude matriarch die gisteren misschien wel of misschien niet het leven had gelaten op mijn gazon. Sandy was het moeilijkste om opzij te zetten maar ik zal je vertellen, ook dat lukte me. Ik was gelukkig. Ik was een vrouw die zich klaarmaakte voor een afspraakje met een man die ze niet echt kende maar van wie ze wist dat ze gek op hem was. Ik deed de druppelvormige barnsteen oorbellen in waar ik altijd de meeste complimentjes mee scoorde. Ik deed lippenstift op, veegde het af met een tissue, deed lipgloss op. Ik trok mijn gemakkelijkste wandelschoenen aan.

Sandy zat in de keuken met een kop koffie de voorpagina van de krant te lezen. 'Je ziet er heel leuk uit,' zei ze. Zij zag er vooral moe uit, alsof ze hier misschien de hele nacht had gezeten.

'Ik vind het echt aardig dat je dat zegt.'

'Niet doen,' zei ze. 'Eerlijk gezegd had ik liever dat je er niet leuk uitzag. Weet je dat ik erover gedacht heb je slaapkamerdeur dicht te spijkeren, maar ik bedacht dat je wakker zou kunnen worden van het getimmer.'

'Ik was altijd al een lichte slaper.' Ik schonk een kop koffie voor mezelf in.

'Toen besloot ik gewoon dat er in het leven van iedere vrouw een moment komt waarop ze moet accepteren dat haar moeder volwassen is en haar eigen fouten mag maken.'

'Zijn we al zo ver?' Ik ging naast haar zitten. 'Het leek pas gisteren dat ik je hoofd vasthield om vloeibare penicilline in je keel te gieten, omdat je halfdood aan het gaan was door het een of ander, maar de smaak van het medicijn je niet aanstond.'

Ze glimlachte een beetje. 'Dat herinner ik me niet meer. Ik bedoel, ik herinner me de scène, maar in mijn versie giet ik het bij kleine Tony naarbinnen. Het is zo roze als kauwgom, klopt dat?'

Ik knikte.

'Misschien is het daarom allemaal moeilijker voor Nora. Ze heeft zelf nog geen kinderen. Ze is niet zo vaak ondergekotst dat het geen zin meer heeft om te proberen er goed uit te zien. Ze is niet gewend zich naar de wil van een ander te buigen. Als je kinderen hebt buig je, je moet wel. Kinderen zorgen ervoor dat je nooit meer je zin kunt doen. Ik vind het niet leuk wat je doet, maar ik begrijp tenminste dat ik er niets tegen kan doen.'

'Dank je, lieverd.'

'Wil je dat ik je erheen breng?'

Ik schudde mijn hoofd. 'Het is niet ver. Ik ga lopen. Het is lekker weer.'

'Jij met je gewandel. Je blijft me verbazen, moeder.'

Ik verschoof in mijn stoel en staarde naar de klok. 'Ik hoef nog niet weg.'

'Hier,' zei Sandy en ze schoof me de helft van de zondagskrant toe. Hij was zo dik als een baksteen. 'Ik ga wafels maken voor de kinderen. Wil je ook?'

'Geen wafels voor mij,' zei ik. Ik zag mezelf al helemaal kleverig worden en me weer moeten omkleden. Ik sloeg de krant open. Ik nam hem door terwijl de kinderen naar tekenfilms keken en rondsprongen met de energie die ze krijgen van zondagse siroop. Ik las Sarah de stripverhalen voor en Tony ging erbij zitten luisteren zodat hij zich de moeite kon besparen ze zelf te moeten lezen. Ik deed een schort voor en waste af. Toen liep ik naar de voorraadkast en zette de kruiden in het kruidenrek op alfabetische volgorde. Zover was het al gekomen.

Toen keek ik weer op de klok. 'Nu kan ik wel gaan.'

'Als je idioot vroeg wilt zijn.'

'Waar ga je naartoe?' vroeg Sarah. Ze probeerde haar kleverige vingers in mijn haar te steken maar ik was haar te snel af.

'Oma gaat ergens spelen,' zei Sandy. Ze keek me met een hartelijke blik aan. 'Maak dat je wegkomt.'

Ik kuste ze allemaal gedag en stormde de deur uit. Het was nog te vroeg maar ik was niet te houden. Ik bleef bij de rozenstruiken staan en als ik het me goed herinner stonden Tony's takjes allemaal nog op de juiste plek. De planten zelf leken hun trauma ongeschonden te hebben overleefd. Met al die nieuwe aarde en mest zouden ze waarschijnlijk een recordbrekende zomer hebben. Toen begon ik te lopen. Ik dacht nu alleen aan Romeo, aan hoe ik hem gewoon was te haten en nu helemaal niet meer haatte. Ik dacht aan zijn haar, dat zo ruig als een borstel was, half zwart, half grijs. Tegen de tijd dat ik aan het eind van Cedar was gekomen en Elm insloeg herhaalde ik in gedachten zijn brief steeds opnieuw. *Liefs, Romeo.* Ik was nog sneller gaan lopen. Toen ik bij de parkeerplaats van de cvs kwam moest ik mijn uiterste best doen niet te rennen. Het was half negen toen ik er aankwam en er stond een dun laagje zweet op mijn voorhoofd. Ik ging de winkel binnen (godzijdank was die vierentwintig uur per dag open) en liep rechtstreeks naar de condoomafdeling waar, kijk eens aan, ruim een half uur te vroeg, Romeo stond te wachten.

We stonden daar een minuut stom te grijnzen om onze mazzel.

'Je hebt Al ontmoet,' zei hij.

'Een geweldige vent.'

'Hij vond je heel aardig. Hij zei dat je dacht dat hij je zou neerschieten.'

'Ik had een paar slechte dagen achter de rug.'

'Je bent zo mooi.'

'Ik dacht net hetzelfde over jou.'

Hij stak zijn hand uit en pakte mijn hand. Ik liep naar hem toe en toen kuste hij me. Op een zondagmorgen om half negen waren er heel weinig mensen in de cvs. Daar op de condoomafdeling sloeg ik mijn armen om zijn nek en kruiste hij zijn mooie handen achter mijn rug. Die kus was alles waard. Zelfs als elke roos was doodgegaan zou die kus het goedgemaakt hebben. Hij was teder en hartstochtelijk. Ik tikte met mijn tanden tegen de zijne. We beten zachtjes op elkaars lip. Ik gebruikte de spier van mijn tong voor iets beters dan praten. Het moet een fraai gezicht zijn geweest, twee zestigjarigen die elk moment op de gladde oranje

vloerbedekking neer konden vallen om het op de condoomafdeling met elkaar te doen.

'Oké,' zei hij. 'Oké.' Hij kuste mijn kin. 'We hebben een
geweldige dag voor de boeg.' Hij pakte mijn hand en we
begonnen de winkel uit te lopen. 'Wacht even.' Hij bleef
staan. 'Ik wil iets voor je kopen.'

'Wat?'

'Ik weet het niet, een cadeautje. Iets van de CVS. Ik bedoel, we moeten deze winkel in stand houden. We hebben
er zoveel plezier van.'

Ik dacht er even over na. 'Drop. Zwarte drop.'

Hij knikte plechtig. 'Voor jou, twee zakjes.'

We liepen terug naar de snoepafdeling, verbijsterd door
het veelkleurige assortiment, de glimmende zoete mogelijkheden. Ik koos een zakje Switzer en een zakje Nibs uit. Toen
gingen we naar buiten en stapten in zijn auto. Hij hield het
portier voor me open. Je zou gedacht hebben dat we in het
Zuiden waren.

'Waar gaan we naartoe?'

'Verrassing,' zei hij. 'Heb je honger?'

Ik kon op dat moment onmogelijk aan eten denken. Ik
schudde mijn hoofd.

'Ik ook niet.' Romeo was een goede chauffeur. 'Ik heb
gehoord dat je mijn moeder hebt ontmoet.'

Ik keek uit het raampje en zag Somerville aan me voorbij-
schieten. Al de McDonald's en Pay-Less Schoenzaken, de
eindeloze stroom Dunkin' Doughnuts, het zag er nu allemaal heel wat vrolijker uit. Vergeef me mijn sentimentaliteit. Plotseling zag de stad er mooier uit. 'Ik heb haar toch
niet vermoord, is het wel?'

'Ze maakt het prima. Alleen wat schrammen.'

'Ze prikte me één keer. De tweede keer wist ik het te ontwijken. Ik zweer dat ik haar nooit heb aangeraakt.'

'Heeft ze je geprikt?'

'Ja, wil je het zien?' Ik trok het boordje van mijn sweater

omhoog om hem de ronde blauwe plek hoog op mijn linkerborst te laten zien, heel berekenend meteen ook het bandje van de champagnekleurige beha.

Hij keek terwijl hij reed. 'Het Cacciamani-stigma!' zei hij. 'Je bent ingewijd. Ik heb waarschijnlijk de helft van mijn leven precies zo'n zelfde blauwe plek gehad. Ze heeft het geperfectioneerd. Ze hoeft niet eens meer te kijken om precies het zachte plekje tussen de botten te raken. Het doet hartstikke zeer. Geen van ons is ooit slim genoeg geweest om het te ontduiken. We blijven gewoon staan om te incasseren. Tjonge, ze zal wel op haar neus gekeken hebben.'

'Het was moeilijk te zeggen,' zei ik. 'Ze viel. Je hebt een taaie moeder, als je het niet erg vindt dat ik dat zeg.'

'Ik heb een taaie moeder,' zei hij ernstig. 'In veel opzichten was ze een goede moeder. Ze heeft zo hard gewerkt voor de zaak, ze heeft goed voor mij en mijn vader gezorgd. Ik denk er wel eens over hoe het voor haar geweest moet zijn, een mooi meisje dat in haar eentje uit Italië komt, zonder een woord Engels te spreken, maar ze ging gewoon de uitdaging aan. Ik denk niet dat ze zich ooit door iets heeft laten weerhouden. Maar ik kan je wel vertellen dat ze de baas is. Ik denk dat ze een hele stoot kinderen wilde hebben en het was jammer dat ze alleen mij kreeg.'

'Zo jammer is dat niet, alleen jou.'

'Ze was echt te veel moeder voor een persoon,' zei hij cryptisch. 'Dus toen ik met Camille trouwde en we zoveel kinderen kregen was ze in de zevende hemel. We kochten de dubbele flat onder die van mijn ouders, wat dacht je daarvan? Ik weet niet hoe Camille het ooit heeft kunnen uithouden. Mijn moeder nam gewoon alles over. Het was alsof mijn kinderen twee moeders hadden, een die heel lief voor hen was en een die orde op zaken stelde.'

'Prikte ze jouw kinderen?'

'Ze prikte de kinderen. Ze prikte mijn vader. Ze prikte de honden. Ze heeft zelfs een keer de postbode geprikt omdat hij te laat was. Hij heeft geprobeerd haar voor het gerecht te slepen.' Hij lachte een beetje. 'Ik dacht altijd dat het wel een keertje zou ophouden. Ze is behoorlijk oud, weet je, ik dacht dat ze rustiger zou worden. Nu prikt ze jou.' Hij schudde zijn hoofd. 'Dat spijt me echt.'

'Ik weet zeker dat mijn dochter Nora meer gedaan had dan prikken als ze jou had gezien. Maken jouw kinderen het je erg moeilijk?'

'Ik moet je zeggen dat ik verrast was. Er is een tijd geweest dat ik veel belang stelde in dat Cacciamani-Roseman gedoe, maar dat heb ik al zoveel jaar achter me gelaten. Ik had me nooit kunnen voorstellen dat zij de fakkel brandend zouden houden.'

'Dus het is erg?'

'Dat kun je wel zeggen. Behalve Plummy. Ze begrijpt er absoluut niets van en ze is ook niet bijzonder geïnteresseerd. Ze laat gewoon alles langs zich heen gaan en gaat naar school.'

'Heb je je moeder ooit gevraagd, je weet wel, waar het nu eigenlijk om gaat?' Niet dat ik het hem kwalijk zou nemen als dat niet zo was.

'Ze prikte me en zei dat ik me met mijn eigen zaken moest bemoeien.'

Ik viste mijn zonnebril uit mijn tas en stak mijn elleboog uit het open raam. Ik vind het heerlijk als iemand me rondrijdt. 'Het kan me niet schelen,' zei ik en ik leunde met mijn hoofd achterover. 'Morgen wel weer. Maar voor vandaag heb ik er genoeg van.'

Romeo reikte voorbij de versnellingspook en kneep even in mijn hand.

'Wil je een Nib?' vroeg ik hem.

Hij knikte. Ik maakte het zakje open en we snoepten bedachtzaam, een voor een. We hadden het over de prijs van bloeiende kersentakken toen we de snelweg naar het noorden naar New Hampshire namen. We vertelden elkaar verhalen over vakanties die we als kind gemaakt hadden en de vakanties die we jaren later met onze eigen kinderen maakten. We spraken over de jaren dat we het slecht hadden gehad en de jaren dat we het goed hadden. We bespraken hoe we een eerste kwaliteit orchidee moesten kweken. Het was net half tien geweest en ik dacht dat zelfs als er tot zonsondergang nu verder niets meer zou gebeuren het nog steeds een van de leukste dagen zou zijn die ik in jaren had gehad.

Nadat we de grens van New Hampshire gepasseerd waren namen we de eerste afslag naar Salem en reden verder tot Canobie Lake Park. Hoewel ik had beloofd Tony en Sarah daar deze zomer mee naartoe te nemen was ik zelf niet meer in het park geweest sinds de meiden op de lagere school zaten.

'Ik weet dat het misschien gek klinkt, maar het is zo anders om hier zonder kinderen te komen.'

'Wat, ga je hier gewoon zonder kinderen naartoe?'

'Nee, ik neem mijn kleinkinderen mee, maar ik heb me altijd voorgesteld dat het zonder kinderen heel anders zou zijn.'

Alles is anders als je geen kinderen bij je hebt. Ik was altijd zenuwachtig in pretparken: het weerzinwekkende eten dat je uiteindelijk toch at, de griezelig uitziende attracties, de kinderen die alle richtingen oprenden. Er was precies één seconde nodig om ze voor altijd kwijt te raken. Ik beschouwde het als een gevaarlijke plek vol onvoorstelbare, duistere hindernissen.

Maar bij daglicht, met twee volwassen dochters en mijn kleinkinderen veilig thuis, leek Canobie Lake Park opmerkelijk heilzaam, hoewel enigszins verlopen. Het zaagsel was schoon. De kaartjesverkoopster was een mollige vrouw van ongeveer mijn leeftijd die niet bepaald hartelijk was (dit was tenslotte New Hampshire) maar nauwelijks bedreigend te noemen. De hemel zag er heel helder uit boven het houten staketsel van de achtbaan. Kortom, Canobie Lake Park leek me een prachtig en romantisch oord toe, wat maar weer aangeeft dat het niet belangrijk is waar je bent, maar met wie.

'We gaan pas om tien uur open,' zei de vrouw vanuit haar hokje. Het was vast waar. We leken de enigen hier te zijn. 'Jullie mogen wel vast naar binnen gaan, maar ik wil niet dat jullie problemen veroorzaken.'

'Wat voor problemen precies?' vroeg ik.

De vrouw leunde vooroven en gaf ons elk een armband die we om moesten doen en waarmee we overal in konden; absolute vrijheid. 'Ik heb hier allerlei soorten problemen meegemaakt. Ik wil dat jullie je daar verre van houden.'

We gingen naar binnen. We gingen de problemen juist uit de weg, we waren er niet naar op zoek.

'Weet je familie dat je hier bent?' vroeg ik Romeo.

Romeo schudde zijn hoofd. 'Ik ben gewoon weggeglipt. Zestig jaar en ik moet weer stiekem doen. Ik heb lange tijd geen reden gehad om weg te glippen.' Hij kuste me.

'Ik vraag me af wat er gebeurd zou zijn als we elkaar hadden ontmoet toen we jong waren,' zei ik, starend naar de prachtige dag die ik voor me had, de blauwe hemel, de donzige witte wolken en de lucht die naar suikerspin rook. 'Ik bedoel, stel dat je op dat feestje in groep acht naar me toe was gekomen. Dat had gekund. We woonden in dezelfde stad, onze families zaten in dezelfde handel. Wat zou er gebeurd zijn als we op de middelbare school verliefd waren geworden?'

'Hetzelfde wat er met Tony en Sandy gebeurde, alleen erger. We hebben het met onze kinderen niet goed aangepakt, maar onze ouders waren van een andere generatie. Ze zouden ons vermoord hebben. Jouw vader zou mij vermoord hebben en mijn moeder jou.'

'Ze zou me doodgeprikt hebben.'

'Ik weet niet eens zeker of ik wel een grapje maak. Er

werd zeer heftig gehaat. Mijn moeder had het al behoorlijk moeilijk met Camille, die Italiaanse was. Haar moeder speelde hartenjagen met mijn moeder. Haar vader was onze slager, en ze vond nog steeds dat Camille niet de juiste vrouw voor mij was.'

'Maar dat was ze wel,' zei ik.

Hij glimlachte. 'Camille was de juiste vrouw voor mij. Er zal nooit een andere Camille zijn. Net zoals er nooit een andere Julie zal zijn.'

Ik voelde een steek van jaloezie, niet omdat hij zoveel van haar gehouden had, maar omdat ik niet zo'n huwelijk had gehad als hij. Ik wilde dat ik iets aardigs over Mort kon zeggen. Ik wilde dat ik kon zeggen: tjonge, we hebben enkele geweldige jaren gehad. Het was gewoon niet waar. Er zijn genoeg jaren geweest dat het wel ging, misschien zelfs goed ging, maar Mort en ik waren nooit geweldig samen.

'Dus het is beter dat we elkaar toen niet ontmoet hebben.'

'Mijn familie vindt je nu niet aardig maar ze willen je tenminste niet vermoorden.'

Ik dacht erover zijn zoon Joe ter sprake te brengen, die zeker in staat leek me te vermoorden als hij daar zin in had, maar waarom zou ik de dag bederven? 'Ga je in de attracties?'

Romeo stond achter me en sloeg zijn armen om mijn middel. Hij boog zich voorover en legde zijn kin op mijn schouder. 'Ik denk erover,' zei hij zachtjes in mijn oor. Zijn stem deed me rillen. 'Toen ik een kind was wel. Een van ons stal de autosleutels van mijn ouders en dan reden we hier 's avonds laat naartoe en klommen over het hek. We kochten één kaartje voor de achtbaan en vervolgens stapten we nooit meer uit. We hielden ons aan de stang vast en zetten onze hielen schrap. Ze hadden een zaag moeten halen om ons uit dat ding te zagen. Na een paar ritjes gaven ze het maar op en lieten ze ons er de hele avond in zitten. We maakten het ene ritje na het andere. Ik ging net zolang door totdat ik geen gevoel meer in mijn handen had.'

'Stoute kinderen,' zei ik, eigenaardig ademloos. 'Mijn vader zou gelijk gehad hebben mij bij jou uit de buurt te houden.'

'Wil je het proberen?'

'Ze heeft ons bij de ingang gezegd geen problemen te veroorzaken.'

'Ik bedoel niet dat we er de hele tijd in moeten blijven zitten, ik bedoel één keertje.'

Ik had nooit in een achtbaan gezeten. Ik was altijd degene die was blijven staan om de zakken popcorn vast te houden. Niet dat het van iemand moest, het was gewoon de rol die ik mezelf toebedeelde. Ik vond het doodeng, maar niet zo eng als sushi. 'Natuurlijk,' zei ik. 'Er moet altijd een eerste keer zijn.'

12

Zo is het begonnen. Eerst de achtbaan en toen de Scrambler, de Zipper. Ik had maar een handjevol Nibs in mijn maag en ik slaagde er dapper in ze binnen te houden. We namen alle uitdagingen aan. Als we wilden schreeuwen, schreeuwden we. We hielden elkaars hand vast en staken ze boven ons hoofd. We gingen weer terug naar de achtbaan. De wereld draaide in verbijsterende kleuren om ons heen, gele tenten, zwartharige kinderen, dof gras en goudkleurige vaandels. Alles smolt ineen, scheidde zich weer en nam een andere vorm aan. We strompelden naar de Paratrooper. We maakten salto's en hingen ondersteboven in onze gordels. Het kon ons niets schelen. De zwaartekracht had geen effect op ons. Mijn binnenoor gaf het op en probeerde zich niet langer te verzetten. Ik wist niet meer wanneer ik rechtop of ondersteboven stond, zelfs nadat de menigte toegestroomd was en we in de rij moesten staan bleef alles in mijn hoofd draaien. En het was een goed gevoel. Mijn fysieke zelf paste bij mijn leven. Mijn lichaam werd de metafoor. Ik was roekeloos, gedesoriënteerd, volkomen door de war. Ik was misselijk van verwarring en drop en begeerte. Zodra de vettige man met de tatoeage die een dolk en een hart voorstelde met zijn whiskeyadem van tien uur 's morgens ons in onze kooi sloot, vlogen we op elkaar af als twee zoogdieren die het verdienden te worden opgesloten. We gristen en graaiden aan elkaars lichaam zolang het toegangskaartje ons toestond. Soms grijnsde de kerel als de rit voorbij was door de stangen naar ons en stelde dan het mechanisme dat ons naar de zon schoot weer in werking. Op een keer schoot de Zipper zes meter boven de grond naar achteren en ik spleet mijn lip tegen Romeo's voorhoofd. Het bloedde niet erg en het hinderde ons niet.

Rond het middaguur was ik niet langer in staat volledige zinnen zeggen. 'Ik denk dat ik moet...' Ik probeerde te zeggen wat ik moest maar het woord was uit mijn brein gehusseld.

'Rusten. Ik moet rusten,' zei Romeo. Er begon zich een blauwe plek op zijn voorhoofd te vormen.

Hij pakte mijn hand en we strompelden naar het andere einde van het park. 'Speel je wel eens *Fascination*?'

'Wat is dat?'

'Het enige wat je moet weten is dat je erbij moet zitten en niets beweegt.'

Het leek me zo'n geweldig idee dat ik er tranen van in mijn ogen kreeg.

De *Fascination*-hal was een combinatie van flipperen, pim pam pet en bingo. We ruilden een bankbiljet tegen een handvol kwartjes en gingen op twee rode plastic krukjes aan het einde van lange stalen kooien zitten.

'Hier kun je prullerige knuffeldieren winnen voor in mijn slaapkamer,' zei ik. 'Nora had wel honderd van die dingen. Iedere jongen die ze tegenkwam won zo'n lichtontvlambare speelgoedhond voor haar.'

'Ik ga niets voor je winnen,' zei hij en hij stopte twee kwartjes in de gleuf. 'Ik ben om te beginnen altijd slecht geweest in *Fascination* en op dit moment is mijn hoofd zo in de war dat ik waarschijnlijk mijn veters niet eens kan dichtknopen.'

'Mooi zo.'

Hij wierp een rubberballetje via de rubber hellingbaan de kooi in. Het moet gezegd, het vloog eerst tegen de ene kant en toen tegen de andere en kwam vervolgens naar hem terugstuiteren.

'Nou nou,' zei ik. 'Bowl je?'

'Ongeveer op dezelfde manier, behalve dat de bal nooit

terugrolt.' Hij gooide er nog een die via een hele andere weg ook terugkwam.

'Doe je dit om leuk te zijn?'

'Nee.' Hij gooide nog eens, dit keer zijn pols zijwaarts bewegend om de bal een topspin mee te geven. Hij viel in een gat in de bodem en verdween. 'Ik ben gewoon ongelooflijk slecht. Ik doe niet net alsof om je medelijden op te wekken.'

Iedere keer dat hij verloor voelde ik me nog meer tot hem aangetrokken. Hij leek zo tevreden met zijn verlies. Mort zou vier kwartjes geleden al weggestormd zijn, het iedereen binnen oorbereik duidelijk makend dat er met dit spel was geknoeid en dat niemand kon winnen, hoe goed hij ook was. Hij zou nu zo ongeveer eisen de manager te spreken. Mort slaagde erin zelfs van de engste kerel in het park zijn geld terug te krijgen.

Romeo gaf me de kwartjes. 'Aan de slag,' zei hij.

Ik pakte mijn rubberbal en gooide hem in de middelste vierhoek.

'O, mijn god,' zei hij. 'Je bent een vluggerd. Ik heb een vluggerd meegenomen naar Canobie Lake.'

'Ik heb een goede hand-oogcoördinatie.' De volgende gooide ik in de linkerbovenhoek. Eigenlijk weet ik niet wat het was, stom geluk waarschijnlijk. Eerlijk gezegd leek het spelletje me niet zo moeilijk.

'Vertel me eens iets over Nora. Ze lijkt me een harde tante.'

'Heel hard.' Bal nummer drie.

'Wat is er van haar geworden?'

'Ze is met een ongelooflijk aardige fiscaal-jurist getrouwd en verdient schatten met de verkoop van onroerend goed. Ze rijdt in een Lexus en draagt echte juwelen.'

'Ik heb me altijd afgevraagd hoe het met de harde tantes afliep,' zei hij.

'Nummer zeven!' riep de afroeper. 'Nummer zeven wint de prijs.'

Ik moest op mijn stoelnummer kijken om te zien of ik zeven was. Sinds wanneer had ik zoveel geluk? Ik zei tegen Romeo dat hij de prijs op moest halen. Als hij gewonnen had zou hij hem ten slotte aan mij gegeven hebben. Hij koos een knuffelkat met een knuffelvisje in zijn bek. De vis glimlachte breed alsof hij het heerlijk vond om levend verslonden te worden. 'Mijn kleindochter zal dit prachtig vinden,' zei hij. 'Ze is gek op katten.'

'Heeft ze een kat?'

Romeo schudde zijn hoofd. 'Dat is een van mijn moeders belangrijkste regels – geen katten.'

Moest ik me zorgen maken over een man die bij zijn moeder woonde? Wat maakte het uit. Ik zou nooit bij het oude mens in de buurt komen. Wat voor relatie we in de toekomst ook zouden hebben, hij zou zeker bestaan uit lange autoritten en stiekeme ontmoetingen. Om ons heen aten de mensen nu gekarameliseerde appels en hielden elkaars hand vast. Ze namen foto's van elkaar voor de attracties. Ze schreeuwden naar hun kinderen en lachten uitbundig om niets. Ze droegen lange, dunne ballonnen om hun hoofd en liepen met onzichtbare honden aan trillende, lege riemen. Romeo had een arm om mijn schouder en een arm om de knuffelkat, die hij Tijger genoemd had. Dit was een geweldige dag maar het had zo weinig met mijn werkelijke leven te maken als maar mogelijk was. We liepen naar een karretje en kochten *clam fritters* en cola. We aten staand en toen we klaar waren gingen we terug en bestelden *fried clam rolls* en aten die ook op.

'Hé,' zei ik, met een papieren servet kruimeltjes schaaldier van mijn mond vegend. 'Ik wil de stemming niet bederven of zo, maar heb je ideeën over, je weet wel, dit? Ons? Ik blijf er maar over nadenken maar ik kom er niet uit. Het enige echt verstandige om te doen zou zijn ermee te stoppen voordat we beginnen, maar eigenlijk denk ik dat we al begonnen zijn.'

Hij verstevigde zijn greep op me. Ik voelde zijn armspieren hard worden tegen mijn nek. Hij kuste mijn kruin. 'Een deel van me zegt dat mijn familie voorgaat,' zei hij. 'Dat is de belangrijkste wet van de Cacciamani's en ik geloof erin. Ik kan niet bij je blijven omdat ik mijn moeder niet wil kwetsen en vooral ook niet mijn kinderen. Het andere deel van me zegt dat ze de pot op kunnen. Ik ben al die jaren een goeie vent geweest, een teamspeler, en ik wil nu doen wat ik wil. Trouwens, we kwetsen hen niet. Je bent geen slecht persoon. Je zult mijn familie niet kapotmaken.'

'Ik denk niet dat Nora nog met me wil praten, Sandy praat nog wel met me maar ze is vreselijk teleurgesteld in mijn daden. Ik weet niet hoe lang ik het vol zal houden onder die druk. Ik bedoel, jij en ik zullen er niet vandoor gaan naar Belize. Wij zijn geen mensen die hun kinderen in de steek laten, hun kleinkinderen nooit meer zien.'

'Misschien, na verloop van tijd, raken ze eraan gewend dat we samen zijn.'

Maar geen van beiden zeiden we daar iets op. Iedere interactie die ik, Romeo uitgezonderd, met Cacciamani's had gehad maakte het alleen maar erger. In plaats van tot de conclusie te komen dat dit alles een idiote traditie was begon ik te geloven dat mijn vader en moeder gelijk hadden. Niet alleen zijn zoons vonden mij een monster, ik begon hen ook monsters te vinden. Ik weet zeker dat ze heel aardig waren tegen anderen, maar voor mij waren ze zo bedreigend als de mafia.

'Kijk eens,' zei ik, wijzend naar een tent verderop. 'Dat is wat we nodig hebben, spirituele leiding.' Op de tent stond: 'Helderziende consulten en spirituele begeleiding. Handlezing, tarot, kristallen bol.'

'O, Al vindt het heerlijk om over die dingen te preken.'

'Hij zal er wel tegen zijn?'

'Al vindt dat je je spirituele leiding van God moet krijgen.'

'Heeft Al hier een stem in?'

'Hij is mijn beste vriend en mijn priester. Dat geeft hem een soort dubbele autoriteit.'

'Nou, Al doet niet aan seks en hij heeft geen kinderen. We hebben extra hulp nodig.'

Ik las graag horoscopen, maar geloofde er niet altijd in. Ik vond het heerlijk om beoordeeld te worden. Het enige wat ik wilde was een second opinion van een onpartijdige derde partij. De onbekende persoon in de tent zou dat net zo goed kunnen als ieder ander.

'Ik weet het niet,' zei Romeo, hij keek naar de tent alsof het een centrum van een of andere sekte was die weggelopen tieners ronselde en hen dwong saffraankleurige jurken te dragen.

'Kom op, ik heb in de Zipper gezeten,' zei ik. 'Ik heb vandaag mijn goede vertrouwen getoond. Nu moet jij het doen.'

We liepen ernaartoe en na een moment van besluiteloosheid klopte ik op het houten bord. Een vrouw van in de zestig, die leek op de vrouwen in mijn buurt, stak haar hoofd door de tentopening. Ze had kort peper-en-zoutkleurig haar, droeg een lichtblauwe trui en een klein beetje roze lippenstift. Ze glimlachte naar ons. 'Een minuutje,' zei ze en verdween toen weer.

Dus wachtten we, zeiden we niets en kusten we elkaar om de tijd door te komen totdat een mager blond meisje van een jaar of veertien onder het zeildoek vandaan dook en als een vogel wegvloog om haar vriendinnen te zoeken.

'Denk eens aan alle toekomst die zij nog voor zich heeft,' zei Romeo. 'Bij ons zal het in ieder geval niet zo lang duren.'

Een hand met korte nagels en zonder ringen schoot tussen de flap te voorschijn en wenkte ons binnen. Het was klein en donker in die tent. We moesten bukken anders zou ons hoofd het midden van de tent optillen. Er stonden twee dozijn kaarsen en een kleine elektrische ventilator. De waar-zegster droeg een spijkerbroek en klompen. Ik was teleurge-steld. Ik had op iets exotischer gehoopt.

'Je had Mata Hari gewild,' zei ze opgewekt. 'Ik ben Ellen. Ik was altijd Madame Zikestra, maar ik werd gek van de pruik en de gewaden. Het wordt hier 's zomers erg warm.'

'Nee, u bent prima,' zei ik. 'Ik bedoel, ik weet zeker dat u prima bent.' Kon ze gedachtenlezen of stelde iedereen haar dezelfde vraag?

'Ik doe er maar een tegelijk,' zei ze vriendelijk.

Ik schudde mijn hoofd. 'Dit is iets gezamenlijks,' zei ik tegen haar. 'Wat we willen weten moeten we samen weten.'

Ze dacht er even over na. 'Oké,' zei Ellen. 'Maar voor jullie samen is het twintig dollar.'

'Echt waar?' zei Romeo.

'Wonderbaarlijk, is het niet?' zei Ellen.

Ik stak mijn hand in mijn tas en legde een biljet van twin-tig op tafel.

'Er is maar één stoel,' zei ze.

Dus Romeo en ik gingen samen op de stoel zitten, elk met een been langs de zijkant. We zaten niet dichter bij el-kaar dan tijdens de ritjes in de attracties.

'Goed, laat ik jullie eens waar voor jullie geld geven. Laat me die handen zien.' Ze leek een verre nicht van de oudere Doris Day te zijn, een en al wipneus en stralende ogen.

'Wilt u niet eerst het probleem horen?' vroeg ik.

Ze schudde haar hoofd. 'De handen.'

We legden alle twee onze handen met de rug op tafel, vier handpalmen in het schemerlicht. Romeo droeg zijn trouwring en Ellen gaf er een tikje op. 'U bent niet ge-trouwd,' zei ze.

'Niet met haar,' zei Romeo.

'Met niemand,' zei Ellen onbewogen. 'Niet met iemand die in leven is en we kunnen niet met doden getrouwd zijn. Dat is het eerste wat ik u moet vertellen.'

Romeo leek plotseling meer geïnteresseerd te zijn.

Ze haalde haar nagel lichtjes over mijn handpalmen en ging toen naar die van Romeo, vervolgens weer terug naar de mijne. 'De meeste dagen zijn heel saai,' zei ze. Ik dacht dat ze het over ons had, in dat geval zou ze ook gelijk hebben. 'Ik zit in deze tent en er komen allemaal meisjes binnen. "Hoeveel baby's zal ik krijgen?" "Houdt hij echt van me?" "Krijg ik een auto voor mijn verjaardag?" En ga zo maar door. De dingen die ik zie zou ik ze toch nooit kunnen vertellen. Het zijn tenslotte nog maar kinderen. Ze hoeven niets te weten. Ze moeten gelukkig zijn. Als u hier bijvoorbeeld op uw veertiende was gekomen,' zei ze tegen Romeo, 'zou u niet hebben willen horen dat u verliefd zou worden op een heel lieve vrouw en dat u samen zeven kinderen zou krijgen en dat een van die kinderen zou sterven toen ze nog een kleine baby was. Een jongen van veertien begrijpt daar niets van. Een huwelijk, kinderen, dood, wat betekent het allemaal? Ik zou u niet hebben kunnen vertellen dat uw vrouw later borstkanker zou krijgen en zou sterven. Het zou onverdraaglijk zijn om dat allemaal van tevoren te weten.' Ze schudde haar hoofd vol medeleven. 'Als u het had gehoord en me geloofd zou hebben, zou u gedacht hebben dat u het niet zou overleven. Maar mensen overleven vreselijke dingen. Maar nu zijn al die dingen verleden tijd. Nu kan ik u de waarheid vertellen. Maar het zou wreed geweest zijn het toen te vertellen.'

Romeo sloot zijn handen als een boek.

'Ach kom. Niet doen,' zei ze en ze gaf hem een klopje op zijn handen. 'U moet me niet kwalijk nemen dat ik zo babbel. Het is toch al gebeurd, ik heb het niet gedaan. Het is fijn om mensen te zien die al een leven hebben gehad, mensen die echt dingen willen weten.'

Maar ik wist niet zeker of ik het wilde weten. Ik wilde de kermisattractie, de tijdschriftenhoroscoop: een lang leven, ware liefde, stapels geld. Ik wilde Madame Zikestra. Ik wilde voor twintig dollar geruststelling dat alles in orde zou komen. Ik wist dat ik zou sterven, dat mijn meiden zouden sterven en Tony en Sarah, na verloop van tijd wij allemaal. Ik had een algemeen begrip van de volgorde van het leven. Dat betekende nog niet dat ik de details wilde weten.

'Ik denk dat we moeten gaan,' zei ik, maar ik probeerde niet eens op te staan.

Ze negeerde me. 'Open uw handen nog eens,' zei ze tegen Romeo.

Hij deed wat ze vroeg.

'Er zijn zoveel grappige dingen, met jullie samen. Het lijkt wel een zaal vol spiegels. Als ik uw handen zie krijg ik sterke herinneringen, alsof ik jullie handen eerder heb gezien. Jullie hebben toch geen haast, wel? Ik wil jullie een verhaal vertellen. Lang geleden, jaren geleden, kwamen er twee kinderen in mijn tent, ze waren heel jong. Ik deed toen nog steeds het hele waarzeggersrepertoire. Ze zeiden dat ze samen moesten komen. Ik liet ze hun handen net zo neerleggen en zag iets verbazingwekkends: ze hadden dezelfde lijnen. Niet de kleine lijntjes, niet de details, maar de grote lijnen waren met elkaar verbonden. Maar ze waren jong en wat hun lijnen betreft waren ze tot hier,' ze raakte het kussentje onder mijn onderste vingerkootje aan, 'net aan het begin. Ik had vreselijk medelijden met ze want ik kon zien dat ze in tegenstelling tot andere jonge mensen echt van elkaar hielden, maar dat deze liefde hen zou scheiden en hen de hele wereld over zou jagen voordat ze weer bij elkaar zouden komen. Hun lijnen waren zo met elkaar verbonden. In hun handen was veel liefde en haat te lezen. Je moet de haat nooit onderschatten. Het kan je net zo stevig in zijn greep houden. Maar ik heb ze niets verteld. Ik zei wat ze wilden horen: hun ouders zouden hen vergeven, er zou blijdschap in hun families zijn, blah blah blah. Het was min of meer waar, maar het zou nog lang duren. Ze hadden de pijn nooit kunnen verdragen als ik het ze had verteld.'

Ellen sprak op de behoedzame, opgewekte toon van iemand die je heel ingewikkelde aanwijzingen aan het geven is over hoe je op de snelweg moet komen.

'En nu zie ik dezelfde twee paar handen. U had gelijk toen u zei dat u samen wilde komen. U had gelijk dat u tot nu gewacht heeft. Als ik jullie had gezien toen jullie veertien waren zou het hetzelfde verhaal zijn geweest en zou ik jullie dezelfde leugen hebben verteld. Maar jullie zijn hier, precies daar.' Ze raakte mijn hand weer aan, dichter bij mijn pols. Ik had nog steeds ruim twee centimeter, tweeëneenhalve centimeter leven over, maar ik verkilde tot op het bot toen ik zag hoeveel lijn ik al had gehad. 'Alle stormen klaren nu op en de wereld brengt jullie weer samen, zoals het zijn moet. Shakespeare zei het al: "Een razende liefde, een liefdevolle haat?" Dat zijn jullie twee. Jullie moeten alleen nooit spijt hebben van het verleden. Het moest zo zijn. U hield van uw vrouw,' zei ze tegen Romeo, en toen wendde ze zich tot mij. 'En u, u moest langer op de liefde wachten, maar u kreeg uw dochters en dus werd het wachten een ander soort liefde.' Ellen leek zo blij ons dit allemaal te kunnen vertellen.

Ik knikte. Ik voelde me lichamelijk ziek. Misschien begonnen de ritjes me op te breken. Maar het kwam vooral door het vreselijke en volslagen onmogelijke idee dat Sandy en Tony zo'n vijftien jaar geleden in deze tent hadden gezeten.

'Dus wat moeten we doen?' vroeg ik. 'Met de razernij?'

'Het is een vreselijke storm geweest, maar alle stormen gaan vroeg of laat liggen. Twee paar handen zoals deze komen niet vaak voor als ik uit eigen ervaring mag spreken.' Ze pakte onze handen en legde ze op elkaar. 'Hou waanzinnig veel van elkaar, begrijpen jullie wat ik bedoel?'

Ik geloof dat het duidelijk genoeg was. In ieder geval zou ik overal mee ingestemd hebben als ik daardoor kon vertrekken. Romeo pakte zijn knuffelkat. We namen afscheid en strompelden de tent uit. Ik kreeg dadelijk hoofdpijn door het plotselinge zonlicht, alsof je om twee uur op een middag in juli uit een bioscoop kwam.

'Het spijt me,' zei ik tegen Romeo. 'Dit spijt me.'

'Kom mee.' Hij pakte mijn hand en we liepen snel weg van de tent en Midway.

'Waar gaan we naartoe?'

'We gaan hier weg.'

Ik volgde hem naar de auto. Ik wilde hem vragen naar de baby die Camille en hij verloren hadden. Ik wilde hem vragen of hij dacht dat het mogelijk was dat ze het over onze kinderen had, maar ik vond het zo vreselijk dat ik hem om te beginnen daar mee naartoe had gesleept dat ik geen woord uit mijn keel kreeg. Ik had het gevoel dat ik een donker plekje wilde opzoeken om een weeklang te slapen. Ik had het gevoel dat Ellen me in ruil voor informatie al mijn energie had afgenomen.

Acht kilometer buiten Canobie Lake kwamen we bij een klein groen-wit geschilderd motel dat Sylvan Park heette. Romeo reed de parkeerplaats op en zei dat ik even moest wachten. Ik staarde naar de struiken, het gescheurde asfalt en probeerde nergens aan te denken. Na een minuutje kwam hij terug met een sleutel en ging weer achter het stuur zitten. 'Drieëntwintig,' zei hij. Hij reed naar het einde van de rij en parkeerde de auto. We gingen de kamer binnen en vielen op het bed zonder het licht aan te doen. Ik vond het niet vreemd dat we daar beland waren. Ik denk dat het de enige plek was waar we naartoe konden gaan. Hij rolde zich om en drukte me stevig tegen zich aan. 'Ik heb je gevonden,' fluisterde hij in mijn haar. 'Ik heb je gevonden.'

Zo vielen we in slaap, omstrengeld, met onze gezichten naar elkaar toe, volledig gekleed, onze voeten over de rand van het bed hangend. Het was alsof iemand een knop had omgedraaid en we meteen weg waren. Of misschien was het opluchting. Misschien geloofden we Ellen. We zouden samen zijn ook al wisten we niet hoe, dus nu konden we eindelijk rusten.

Ik vind dat slapen met iemand ultieme intimiteit is. Door het slapen creëren we vertrouwen. Toen we alle slaap hadden gehad die we nodig hadden, werden onze monden het eerst wakker. Toen we wakker werden waren we alweer aan het kussen. Ik glipte uit mijn sweater en mijn gekreukte linnen broek. Ik liet mijn schoenen op de grond vallen. Romeo trok zijn overhemd en zijn spijkerbroek uit. Hij raakte de champagnekleurige lingerie even met zijn vingers aan, hij liet zijn handpalmen over de cups van de beha glijden, alsof hij nooit in zijn leven zoiets opmerkelijks had gezien. Hij was degene op wie ik gewacht had, daar was ik van overtuigd, zelfs al had ik een ander leven met andere mensen gehad. Dit was mijn beloning, deze dag, dit moment, voor alle goede daden die ik ooit in mijn leven had gedaan.

Seks blijft je bij, zelfs in de jaren dat je er niet aan doet, in de maanden dat je er niet aan denkt. Het overwintert in de diepte, misschien in je knieholtes of achter je lever. Eerst lijkt het ongeduldig, niet te verdragen, trekt het voortdurend aan je. Dan komt het tot rust en installeert het zich ergens zo ver uit het zicht dat je het bijna kunt vergeten. Het dimt de lichten en het wacht. Maar als je het weer oproept dan is het er ook direct, met alle herinneringen en reacties. Romeo's handen, Romeo's mond, de lijnen van zijn blote benen, de warmte van zijn borst tegen mijn gezicht, ieder hoekje van hem bracht me weer tot leven. Het voelen van zijn maag tegen de mijne, het zoete vergeten waar jouw lichaam ophoudt en dat van de ander begint. Wij waren nu de achtbaan, de Scrambler, de Zipper. Liefde rolde ons samen voort en wierp ons in de lucht. We waren sterker dan de zwaartekracht. We rekten ons erin uit, sloten onze ogen, hielden elkaar vast, stevig vast.

Op een bepaald moment tijdens dit alles zei Romeo dat hij van me hield.

Ik zei hetzelfde tegen hem.

We hadden de dag tot op de laatste minuut uitgeperst. In Somerville waren alle huizen donker maar het licht bij mijn voordeur brandde nog. We kusten elkaar goedenacht.

'We hebben geen plan bedacht,' zei ik.

'Wij zijn het plan,' zei hij. 'De rest zal gewoon op zijn plaats moeten vallen.'

Ik stapte uit de auto en zwaaide. Mijn botten voelden week. Ik had het gevoel alsof ik gewoon onder de deur door naar binnen kon glijden en naar mijn slaapkamer kon zweven. In plaats daarvan pakte ik mijn sleutels en liet mezelf binnen. Ik draaide me om en zwaaide nog eens en deed toen het licht in de hal aan.

Er lag iemand op mijn bank te slapen. Hij leek wakker te worden van het licht en Mort rolde zich om, rekte zich uit en glimlachte.

'Hallo Julie,' zei hij.

13

Mort hield van die bank. Het was niet de eerste keer dat ik hem daar aantrof. Vroeger bleef hij wel eens laat op, hij keek tv of werkte aan de boekhouding en als hij moe werd ging hij even liggen met de gedachte dat hij zijn ogen een paar minuten rust zou geven en dan werd hij pas wakker als ik hem 's morgens wekte. Later, toen het slecht begon te gaan, werd die bank natuurlijk heel iets anders. Hij weigerde boven te komen of ik zei hem dat hij maar op die verdomde bank moest slapen. Hoe dan ook, Mort en die bank hadden in de afgelopen jaren heel wat uren samen doorgebracht. Hij was opnieuw bekleed maar in wezen nog steeds dezelfde bank, hetgeen betekent dat ik het niet vreemd vond Mort erop te zien liggen, zelfs al had ik hem in geen vijf jaar gezien.

'Ah, Mort,' zei ik. Wat kon ik zeggen? Moest ik schreeuwen, gillen? Dat zou zeker volgen, maar op dat moment was ik nog steeds dromerig, moe en verzadigd van seks. Mijn hart was te vol van goede wil om een lamp te kunnen gooien, zelfs al vereiste de situatie dat er met een lamp werd gegooid. Trouwens, ik was niet weinig opgelucht dat het niet een van die kolossale Cacciamani-jongens was die me kwam vermoorden omdat ik hun vader naar de verdommenis hielp.

'Mevrouw Roseman,' zou hij geeuwend zeggen. 'Ik ben gekomen om u te vermoorden maar ik viel tijdens het wachten in slaap. Een ogenblikje, ik moet even mijn geweer tussen de kussens van uw bank opvissen.'

Als ik dan toch een vreemde man op de kussens van mijn bank moest aantreffen was Mort nog niet zo'n slechte keus. 'Je ziet er goed uit, Jules,' zei hij vol bewondering. 'Een beetje verfomfaaid, maar goed.'

'En je bent gekomen om me dat te vertellen?' Waarom vond ik dit niet merkwaardiger? Ondanks dat er vijf jaren verstreken waren was ik nog steeds gewend met Mort te praten. Ik had langer dan met wie dan ook met hem geleefd. Plotseling kreeg ik een vreselijke gedachte: stel dat er iets met Lila was gebeurd? Stel dat hij hier was omdat hij me terug wilde? 'Wat is er aan de hand, Mort?'

Mort ging rechtop zitten en rekte zich uit alsof hij probeerde zijn lichaam weer in model te krijgen. Zelfs na een tukje in een vliegtuig gooide hij altijd al zijn armen omhoog en brulde, om vervolgens met zijn schouders te rollen, op zijn buik te krabben en een paar keer heftig met zijn vingertoppen over zijn schedel te wrijven. 'Wat heb je met de oude bank gedaan? Je kon zeker nauwelijks wachten om hem weg te doen, hè?'

'Dat is de oude bank. Ik heb hem opnieuw laten bekleden.'

Mort wierp een blik naar beneden alsof hij zojuist in een pizza was gaan zitten. 'Krijg nou wat,' zei hij. 'Ik vond hem eerst mooier.'

'Waarom ben je hier, Mort? Mijn god, er is toch niets met een van de meiden? Je bent toch niet gekomen om me iets vreselijks te vertellen?'

Hij schudde zijn hoofd. 'Niets vreselijks, of in ieder geval niets vreselijks waaraan jij niet actief hebt deelgenomen.' Hij begon verontwaardigd te kijken. Hij werd wakker.

'Romeo?'

'Jezus christus, Julie. Alsof er geen andere kerels zijn om uit te kiezen? Nora belde me. Ze snikte door de telefoon. Ik moet mijn dagelijkse bezigheden onderbreken en naar de andere kant van het land vliegen om te proberen de dingen weer recht te zetten. Heb je er ooit aan gedacht wat je de meiden aandoet?'

Vanaf vandaag begon ik te denken dat ik geluk had gehad, misschien voor het eerst in mijn leven. Al die jaren had ik in gedachten gesprekken met Mort gevoerd. Al die jaren had ik gedacht aan wat ik had moeten zeggen toen het te laat was. Nu was Mort hier, terug op mijn bank, me de kans gevend mijn gal te spuwen. Ik legde mijn tas neer en liep de woonkamer in. 'Wat ik de meiden aandoe? Wat ik aan 't doen ben?'

'Wat je doet,' zei Mort, geen duimbreed toegevend.

'Ik ben een alleenstaande vrouw van zestig die doorgaat met haar leven, dat is wat ik doe. Ik ben niet getrouwd en Romeo ook niet. We maken geen gezinnen kapot, schenden geen vertrouwen. Wil je over de meiden praten? Laten we dan over de meiden praten, Mort. Laten we het eens hebben over wat de scheiding hen heeft aangedaan.'

'Je kunt mij hier niet de schuld van geven. Dit gaat niet over mij.'

'Het gaat inderdaad niet over jou, verdomme.' Daar ging de liefde, de slaperige tederheid. 'Dus ga van mijn bank af en maak dat je wegkomt.'

Mort stond van de bank op. Het speet me te moeten zeggen dat hij er zelf ook goed uitzag. Hij was dunner. Hij droeg mooiere kleren dan toen hij wegging. 'We praten hier morgen over, als je een beetje rationeler bent. Als je niet de halve nacht op stap bent geweest met een afspraakje.' Hij slaagde erin een heel vervelende bijklank te geven aan het woord 'afspraakje'.

Ik keek op mijn horloge. 'Het is nog niet eens middernacht. En we hebben erover gepraat. Daar blijft het bij.'

Mort stak zijn vinger naar me uit. Ik zag zijn aderen opzwellen bij zijn slapen waar hij vroeger haar had gehad. 'Ik blijf niet toekijken hoe je mijn zaak en mijn familie te gronde richt vanwege een stinkende Cacciamani. Ik zal je tegenhouden al moet ik zelf de handtekening zetten om je te laten opnemen.'

Ik deed de deur open. 'Wegwezen.' Dit was eerder gebeurd, in deze hal, deze woorden, alleen hadden we toen geschreeuwd over zijn seksleven.

'Oma?' riep Tony van bovenaan de trap.

'Het is in orde, lieverd.' Ik wierp Mort een felle blik toe, een blik die hij altijd mijn 'kokende blik' noemde. 'Ik ben thuis. Het spijt me dat we je wakker hebben gemaakt.'

'Is opa er nog?'

'Heb je de kinderen gezien?' vroeg ik aan Mort.

'Wat denk je dan, dat ik naar binnengeslopen kwam en op de bank ben gaan liggen?'

'Hij is hier,' riep ik naar Tony. 'We waren net aan het praten.'

Tony kwam in zijn pyjama de trap af trippelen. Ik vond het heerlijk hem in zijn pyjama te zien. Ik wist dat hij gauw groot zou zijn, dat hij niet meer het jongetje zou zijn dat 's morgens bij me in bed kroop. 'Hoi opa.'

'Hallo, killer,' zei Mort. Waarom zou je een kind zo noemen?

'Blijf je slapen?' Tony kwam naar me toe en kroop in mijn armen.

'Opa heeft haast,' zei ik.

'Ik ga bij tante Nora slapen.'

'Kom je morgen terug?'

'Ik ben hier als je uit school komt.'

'En Lila?' vroeg hij wantrouwend.

'Is Lila er ook?' zei ik.

'Ze is bij Nora.'

'Ze heeft met me gepokerd,' zei Tony. 'Ze is niet zo goed.'

'Hier?' zei ik. 'Is ze hier geweest?'

'Ik wilde Sandy en de kinderen zien,' zei Mort. 'Wat moest ik dan, haar in de auto laten zitten?'

'Ja. Je moest haar in de auto laten. Waarom neem je Lila hier trouwens mee naartoe?'

'Ze wilde haar vriendinnen opzoeken en Nora stuurde ons twee vliegtickets.'

138

Ik drukte de muizen van mijn handen tegen mijn voorhoofd. 'Zo is het genoeg,' zei ik zo rustig mogelijk om Tony niet bang te maken. 'Welterusten.'

Mort boog zich en kuste Tony op zijn kruin. 'Je wordt groot.'

'Dat heb je me al verteld,' zei Tony.

Eindelijk nam Mort afscheid en vertrok. Ik sloot af en schoof de veiligheidsgrendel voor de deur. 'Je moet naar bed,' zei ik tegen Tony. 'Morgen is er weer school.'

'Opa en jij kunnen niet met elkaar opschieten.'

Ik boog mijn hoofd naar links en toen naar rechts. 'Niet zo goed, maar daar hoef jij je geen zorgen over te maken.'

'Ik kan niet geloven dat hij Lila liever vindt dan jou,' zei Tony.

En met die opwekkende woorden gingen we naar boven.

De nacht die ik in gedachten had ging ongeveer als volgt: ik ging naar mijn kamer, misschien stak ik een kaars aan. Ik trok mijn kleren uit en bekeek elk kledingstuk liefkozend voordat ik het in de wasmand deed. Vervolgens trok ik mijn nachtjapon aan, schudde mijn kussens op en gleed in bed. Het duurt lang voordat ik in slaap val. Ik neem de tijd om alles wat er is gebeurd nog eens te overdenken. Ik zit weer in alle attracties, ik speel *Fascination*, ik eet schaaldieren. Ik wil meteen aan de seks denken maar dat sta ik mezelf niet toe, ik bewaar het, en als ik aan alle andere dingen van de dag heb gedacht herinner ik me het Sylvan Parkmotel. Gedurende tenminste een uur denk ik aan niets anders. Ik laat iedere seconde van geluk in gedachten opnieuw gebeuren. Ik maak constructieve plannen voor onze toekomst. Ik geniet. Dat zou ik gaan doen.

In plaats daarvan ga ik naar boven, stop Tony terug in bed, ga dan naar mijn kamer en doe heel erg mijn best om niet met de deur te slaan. Wie dacht Mort in godsnaam wel dat hij was om op te duiken en mij te vertellen hoe ik in zijn afwezigheid mijn leven moet leiden? Wie dacht hij dat hij was om op mijn bank te gaan liggen slapen, die ik nu waarschijnlijk weer opnieuw moet laten bekleden om niet iedere keer dat ik de woonkamer binnenkom aan hem op die bank te moeten denken? Ik rukte mijn kleren uit, inclusief mijn champagnekleurige lingerie, en gooide ze op een hoopje bij het voeteneinde van mijn bed. Mijn handen trilden toen ik in het medicijnkastje naar mijn flesje Excedrin p.m. zocht. Ik nam zonder water twee blauwe tabletten in, trok een t-shirt aan en ging op bed zitten. Lila in mijn huis? Pokeren met mijn kleinkinderen? En Nora? Haar afkeurende gezeur te moeten aanhoren was één ding, maar dat ze de me inschakelde om mij mijn kans op geluk te misgunnen zou ik haar niet zo gemakkelijk kunnen vergeven. Wat moest ik nu met haar beginnen? En alsof het al niet genoeg was dat het allemaal moest gebeuren, waarom juist vanavond? Waarom moesten ze allemaal komen en mijn heerlijkste dag in ik weet niet hoeveel tijd verpesten? Ik sloot mijn ogen en probeerde aan Romeo te denken, maar ik zag alleen maar het kale hoofd van Mort, zijn gezicht vertrokken van rechtschapen verontwaardiging. Ik had het altijd al vreselijk gevonden als hij op die manier naar me keek en hoewel ik het nog steeds vreselijk vond was het nu een volslagen ander soort vreselijk.

Mijn moeilijkheden waren te groot voor Excedrin en om vijf uur de volgende morgen was ik beneden de keukenkastjes van nieuw papier aan het voorzien. Ik had het nieuwe kastpapier al ongeveer een jaar en ik wist dat het het enige was dat kon voorkomen dat ik volledig in zou storten. In de winkel had ik het ongelooflijk vrolijk gevonden, het was geel met een patroon van piepkleine madeliefjes, maar nu de borden op het aanrecht stonden en ik het in de kastjes legde vond ik dat de madeliefjes net torren leken, kleine rennende torren die onder de borden zouden kruipen. Wat kon het mij verdomme schelen? De kans was groot dat ik morgenochtend alles toch weer opnieuw zou willen doen.

'Dit is erg,' zei Sandy toen ze om zes uur beneden kwam. 'Ik heb jou geen nieuw kastpapier meer in de kastjes zien leggen sinds pap en jij uit elkaar gingen.'

'Nou, dan wordt het tijd. Vind jij dat dit net torren lijken?'

Sandy ging op haar tenen staan en tuurde naar de kastplank. 'Een beetje.'

Ik pakte mijn spons en streek de rimpels glad.

'Is dit omdat je gisteren geen leuke dag had met meneer Cacciamani of omdat je weet dat pap in de stad is?'

'Pap en Lila,' verbeterde ik haar. 'En Nora heeft de vliegtickets betaald.'

'Niet dat ik een afvallige ben of zo, maar ik wil je wel even vertellen dat ik hier niets mee te maken heb. Ik bedoel, je weet vast wel dat ik er *financieel* niets mee te maken heb, maar ik wist het pas toen ze al in het vliegtuig zaten op weg hier naartoe.'

'Dat stel ik op prijs.' Ik kwam van het trapje en begon nog een stuk papier op maat te snijden.

'Weet je zeker dat je dit met een scheermesje moet doen?'

'Ik zal echt niemand vermoorden, als je dat bedoelt.'

Sandy zuchtte en knabbelde nadenkend op het topje van haar duim. 'Ga je pap zien?'

'Ik heb hem gisteravond gezien.'

'Is hij teruggekomen?'

'Hij lag op de bank toen ik thuiskwam. Daar staat koffie als je wilt.'

Sandy schuifelde ernaartoe en schonk een kop koffie in. 'Dat had hij niet moeten doen. Hij had afscheid genomen en was vertrokken. Ik wilde niet dat je overvallen werd. Liep het erg slecht af?'

'Zou jij het leuk vinden als je midden in de nacht van een afspraakje thuiskwam en Sandy Anderson slapend op je bank zou vinden?'

'Ik zou zo blij zijn dat ik een afspraakje had dat ik betwijfel of het me iets had kunnen schelen.' Sandy glimlachte naar me. 'Maar ik snap wat je bedoelt. Hoe was je afspraakje trouwens?'

Bij de gedachte daaraan liet ik me neervallen en gooide de rol papier opzij. 'Het afspraakje was geweldig. Niet dat ik me het nu nog goed kan herinneren.'

'Waar heeft hij je mee naartoe genomen?'

Ik nam mijn jongste dochter onderzoekend op. 'Lieverd, ik wil niet paranoïde klinken, maar dit blijft onder ons, afgesproken?'

Er trok een wolk over Sandy's gezicht en ze keek gekwetst. 'Ik wilde wat belangstelling tonen. Als je me niets wilt vertellen dan niet.'

'Het spijt me,' zei ik. 'Het komt gewoon door alles wat er gebeurt...'

'Ik ben Nora niet.'

'Natuurlijk ben je Nora niet.'

'Dat hele Cacciamani-gedoe staat me niet aan. Ik vind het een stel criminelen, maar ik probeer je keuze te respecteren. Ik moet me er gewoon niet mee bemoeien.' Sandy zette haar koffiekop op tafel. 'Vergeet maar dat ik ernaar vroeg.' Ze liep de keuken uit en toen ik haar naam riep kwam ze niet terug.

Canobie Lake Park, wilde ik zeggen. We zijn naar Canobie Lake Park geweest.

Ik ruimde de papiersnippers op en zette de borden weer op hun plaats. Toen trok ik mijn kleren aan en ging naar mijn werk. Het was nog maar nauwelijks licht buiten en ik had het thuis al verpest. Ik vond het prettig om op maandag vroeg te beginnen om alle nieuwe bloemen uit te pakken en in hun emmer te zetten voordat de klanten kwamen. Tegen tienen als ik het bordje op de deur omdraaide om open te gaan, zaten de kinderen op school, zou de winkel in gereedheid zijn gebracht en zou Sandy me vergeven hebben, dat wist ik zeker. Het leek wel alsof ik mijn gave om de juiste dingen te zeggen volledig was kwijtgeraakt.

Ik ging via de achterdeur naar binnen en zodra ik in de winkel was voelde ik me beter. Ik liet mijn hand over de houten werkbanken die mijn vader had gemaakt glijden, keek naar al mijn scharen en tangen die keurig op het gaatjesbord aan de muur hingen. Het was meer mijn thuis dan mijn huis was. Het was de plek waar ik altijd weer rustig werd. In Roseman was ik een klein meisje met een gieter. Mijn moeder was jong en mooi, mijn vader floot vrolijke deuntjes. Al mijn vriendinnen benijdden mij. Ik leefde in een wereld die helemaal van bloemen was gemaakt. Ik nam bloemen mee voor mijn onderwijzers. Ik had bloemen in mijn haar. Zelfs toen ik een tiener was en in de winkel werkte, was het een gelukkige tijd, of in ieder geval herinnerde ik het me zo. De jaren dat ik getrouwd was kwam ik er nauwelijks, dus ik associeerde de winkel niet zo erg met Mort. Toen ik het weer overnam leek het alsof ik thuiskwam. Ik werd weer een Roseman. Ik denk dat ik begreep waarom mijn vader dacht dat ik de zaken niet aankon en God weet dat ik het niet geweldig gedaan heb, maar ik wilde dat hij had kunnen zien hoe ik het probeerde. Ik wilde dat hij had geweten dat ik er net zoveel van hield als van mijn familie.

Toen ik naar voren liep om de ramen te lappen zag ik een doos plat op de stoep liggen, tegen de deur geschoven. Het was een bloemendoos – waar ik er duizenden van had – met een grote gele strik erbovenop. Eerst vroeg ik me af of het misschien een of andere bizarre teruggave was, hoewel ik het lint niet herkende. Ik deed de deur van het slot en haalde de doos binnen. Op de sticker die op de bovenkant zat stond 'Romeo'. In het handschrift dat ik nu herkende stond geschreven: 'Plat laten liggen. Deze kant boven.' Een pijltje wees naar boven.

Bloemen? Nooit in mijn leven had iemand mij bloemen gestuurd. 'Alsof je steenkool naar Newcastle brengt,' zei mijn vader graag als ik hem vroeg of hij mijn moeder ooit

bloemen had gegeven. Maar daar stond de doos. Mijn hart
ging als een razende tekeer. Romeo, Romeo. Het voelde te
zwaar voor bloemen. Ik paste goed op hem plat te houden
en bracht de doos naar de werkbank, ik haalde het lint er af
en bedacht in een flits van sentimentaliteit dat ik het zou
bewaren. Toen haalde ik het deksel eraf.

Groenten.

Groenten als bloemen.

De kleinste blaadjes spinazie die ik ooit had gezien lagen
verspreid over de bodem van de doos als wolkjes bloementissue. Erbovenop lagen twee witomrande paarse kolen. Ze
bloeiden, een ander woord was er niet voor. Eromheen lagen als een rode krans twaalf tomaatjes, stuk voor stuk volmaakt rond, en stengels zachtgroene asperge met blaadjes
van zes miniatuur Japanse aubergines. Onder in de doos lag
een rij courgettes, vervolgens een rij rode nieuwe aardap-
pels, dan miniworteltjes met hun varenachtige topjes nog
intact. De boodschap was geschreven op een wit bloemen-
kaartje met bovenaan 'Hartelijk Gefeliciteerd' gedrukt, dat
was doorgestreept.

Prediletto Julie,
    Wist je dat het heel moeilijk was om op maandagochtend zes
uur een cadeautje voor jou te kopen?
    Ik hou van je,
    Romeo.

Er stond een pijltje en ik draaide het kaartje om. *Wanneer*
ben je trouwens jarig?

Ik geef het toe, ik drukte het kaartje tegen mijn hart. Ik
boog mijn hoofd om aan de asperges te ruiken. Zou hij bij
de voordeur gestaan hebben toen ik via de achterdeur binnenkwam? Had ik hem gemist? Prachtige, prachtige groenten. Alles was weer goed.

'Groenten?' zei Gloria.

'Ik weet dat het raar klinkt maar je zou het moeten zien. Het is kunst, ik zweer het.'

'Oké,' zei ze en ik hoorde door de telefoon dat ze een slokje koffie nam. Gloria was nergens zonder koffie. 'Dus het ondergoed was een succes?'

'Wil je niet eerst horen hoe de dag is geweest?'

'Ik wil later horen hoe de dag was. Eerst moet je me over het ondergoed vertellen.'

Dus ik vertelde het haar. Ik wilde het vertellen.

'Hartstikke goed, lieverd. Je hebt lang gewacht.'

Ik vertelde haar over het park, de ritjes in de attracties. Ik vertelde haar over Ellen en het Sylvan Parkmotel. Ik vertelde haar over Mort op mijn bank.

'Mort? Pardon?'

'Ik maak geen grappen. Hij was er toen ik thuiskwam. Nora heeft hem en Lila laten komen om mij tot de orde te roepen.'

'Ik neem alles terug, je moet inderdaad bang zijn voor Nora.'

'Op dit moment ben ik alleen kwaad. Mort komt zeker langs vandaag. God, Gloria, het leven is zo goed en zo slecht. Hoe kan dat tegelijkertijd?'

'Ik denk dat dat de definitie van het leven is.'

'Wil je me nog een plezier doen?'

'Alles om de ware liefde te helpen of je ex-echtgenoot dwars te zitten.'

'Hierna zal ik dik bij je in het krijt staan. Als je besluit wapens naar Zuid-Amerika te smokkelen of een peuterspeelzaal te openen dan kun je erop rekenen dat ik alles zal doen wat je me vraagt.'

'Vertel op.'

'Ga naar Romeo en vertel hem dat ik de groenten heb gekregen. Zeg hem dat ik het prachtig vind.'

'Zou het niet gemakkelijker zijn om op te bellen en gewoon op te hangen als je de verkeerde Cacciamani treft?'

'Ik wil niet dat hij moeilijkheden krijgt.'

'Ik geloof dat ik op de lagere school al eens op een soortgelijke missie ben uitgestuurd, maar ik zal het doen.'

'Je bent een engel.'

'Wat wil je dat ik precies zeg?'

'Het doet er niet toe,' zei ik, wetend dat Gloria en ik gelijkgestemd waren in deze zaken. 'Ga er gewoon heen en praat over liefde.'

14

Sandy mokte nog steeds toen ze om tien uur in de winkel kwam, maar omdat het maandag was was er veel te doen en moest ze er snel mee ophouden. Eigenlijk was er niet zoveel te doen als er had moeten zijn. Onze beide bloemenleveranties waren onvolledig en aangezien ik alles wat er van het weekend over was aan pater Al had gegeven was er niets achtergebleven waar we iets aan hadden. Op maandagochtend werd er niet bezorgd, dus we bleven samen in de winkel, pakten de bloemen uit die we wel hadden ontvangen en namen de plannen door voor de grote bruiloft van het weekend na het volgende weekend. De bruid wilde uitsluitend gardenia's in de synagoge. Er zouden heel veel gasten komen.

'Heeft ze enig idee hoe het daar zal ruiken?' zei Sandy met opgetrokken neus. 'Ik bedoel, ik houd van gardenia's maar de mensen zullen flauwvallen in de banken. Ze kan maar beter zuurstoftanks bij de hand hebben.'

'Het enige wat ik weet is dat ik de bloemen besteld heb. Laten we hopen dat ze niet van gedachten verandert. Duizend gardenia's worden niet zo gauw verkocht.'

De telefoon ging en Sandy nam hem op en noteerde de bestelling. 'Wat wilt u op het kaartje?' vroeg ze, haar pen in de aanslag boven het kleine, witte kaartje. Oké, ja, Lieve Maria, zonder jou heeft mijn leven geen zin. Je bent de zon, maan en sterren in de nachthemel. Wacht even wacht even, u gaat te snel voor me.' Ze draaide het kaartje om. Mijn hele leven heb ik nog nooit een liefde als deze gekend. Ik heb op jou gewacht sinds het begin der tijden. Wacht. Het kaartje is vol. Ik pak er nog een, het zijn maar kleine kaartjes. Terwijl

Sandy doorging met schrijven, kwam Gloria de winkel binnenwaaien en ze zag er beter uit dan ik nodig vond. Ze droeg een strakke zwarte rok en lage hakken. Gloria was slanker dan ik en ze had prachtige benen. Ik vroeg me af of ik een vergissing had begaan door haar te sturen. Romeo hoefde pater Al niet te laten beloven er niet te mooi uit te zien toen hij mij kwam opzoeken. 'O, mijn god,' zei ze. 'Ik heb hem gezien. Ik ben er net geweest.'

'Wie heb je gezien?' vroeg Sandy.

Gloria wierp me een blik toe, maar ik vond dat het geen zin had om er moeilijk over te doen. 'Romeo Cacciamani,' zei ik. 'Ik heb Gloria gevraagd bij hem langs te gaan om hem te bedanken voor een cadeau.'

'Heeft hij je een cadeau gestuurd?' vroeg Sandy wantrouwend.

'Kom mee,' zei ik. Ik nam ze allebei mee naar de koelcel en haalde het deksel van de doos met groenten. Ik verblindde hen met mijn diner.

'Tjee,' zei Sandy en legde aarzelend een vinger op een aubergine. 'Zijn ze echt?'

'Ze zijn echt.'

'Ze zijn ongelooflijk,' zei Gloria. 'Je had volkomen gelijk. De rest van mijn leven zal ik teleurgesteld zijn als Buzz mij bloemen stuurt. Mogen we nu de koelcel weer uit? Ik weet dat jullie eraan gewend zijn, maar ik niet.'

We liepen eruit met de doos met groenten. Ik wilde het deksel er niet weer op doen.

'En je moest Gloria sturen om hem te bedanken?' vroeg Sandy. 'Je kunt niet eens even naar hem toe?'

'Niet echt,' zei ik. 'Je weet hoe zijn familie over mij denkt en hij weet hoe jij en Nora over hem denken. We proberen om niet op al te veel tenen te trappen.' Misschien zei ik de dingen wat al te duidelijk, maar ik had behoefte aan een beetje krediet wat betreft gevoeligheid.

Sandy pakte een asperge en liet hem voorzichtig tussen

haar vingers draaien. 'Een man die zoiets maakt...'

'Is een fantastische man,' zei Gloria. 'Julie, je had gelijk dat je daar niet naartoe ging. Lieve hemel, het krioelde er van de Cacciamani's. Eerlijk gezegd ben ik opgelucht dat je, laten we zeggen, later in je leven met hem samen bent, want ik had niet willen zien dat je je jeugd had doorgebracht met iemand die blijkbaar zo'n zwakke greep heeft op geboortebeperking.'

'Wat zei hij?' vroeg Sandy.

'Nou, ik moest hem eerst alleen te spreken zien te krijgen. Ik zei tegen de schurk achter de kassa dat ik wilde praten over een bloemstuk voor de begrafenis van mijn man, dat ik liever ergens privé met de eigenaar wilde praten. Wist je dat hij een kantoortje had? Waarom heb jij geen kantoortje?'

Ik had een bureau naast de werkbank. Dat was prima. 'Heb je hem verteld dat Buzz dood was?'

'Ik zei de eerste dat Buzz dood was. Ik heb Romeo de waarheid verteld toen we alleen waren. Daar ging het om, hem alleen te spreken.'

'Maar wat zeí hij nou?' herhaalde Sandy.

Gloria keek haar aan. 'Hij zei dat hij dolverliefd was op je moeder, oké?'

'Dat is genoeg voor mij,' zei ik.

'Hij zei dat jullie misschien morgenavond in Newton konden gaan eten. Hij zei dat hij in Newton niemand kende. Ik vertelde hem dat wij iedereen in Newton kennen.'

'Morgenavond heb ik de kinderen,' zei ik. 'Misschien woensdag.'

'Ik kan een oppas vragen,' zei Sandy. 'Nora zou kunnen komen. Of Gloria. Zo erg is het niet.'

'Wil je zeggen dat je me helpt bij een afspraakje?' Gloria en ik keken haar met grote ogen aan. Als ze ja zou zeggen wilde ik een getuige.

'Wat ik zeg is dat dit hele mooie groenten zijn,' zei Sandy

dromerig. 'Zoiets zie je niet elke dag. Dat is alles wat ik zeg. Ik ga de winkel weer in. Praten jullie maar.' Sandy legde de asperge voorzichtig terug en liet ons alleen.

'Die meid kun je vertrouwen,' zei Gloria. 'Ze begint er warm voor te lopen.'

'Met pieken en dalen. Vertel eens, wat zei Romeo?'

'Alles wat je wilt horen. Hij was heel blij dat ik kwam. Hij zei dat hij steeds aan je moest denken. Hij had een geweldige dag gehad in Canobie Lake, maar zoals hij het vertelde reden jullie er naartoe, speelden een paar rondjes *Fascination* en gingen toen weer naar huis.'

'Zo was het ongeveer. Heb je hem over Mort verteld?'

Gloria schudde haar hoofd. 'Ik bedacht, wat heeft het voor zin om de arme kerel gek te maken? Hij zal zich zorgen maken, hij zal jaloers zijn. Daar vond ik hem te aardig voor.'

Ik hoorde de bel van de winkeldeur en toen Sandy's stem. 'Hallo pap.'

Het was even stil, toen hoorde ik voetstappen en vervolgens Mort. 'Moet je eens zien? Het is een rotzooi. Ze heeft er een rotzooi van gemaakt.'

'Als je het over de duvel hebt,' zei Gloria. 'Wil je dat ik blijf?'

'Iets zegt me dat dit niet snel voorbij zal zijn. Ik denk dat je genoeg hebt gedaan voor vandaag.'

'Niet dat ik wil dat Mort iets overkomt, dat wil ik zelfs voor mijn eigen ex-echtgenoot niet, maar ik vind niet dat ze zomaar zouden mogen rondlopen om elke keer als ze daar zin in hebben op te duiken. Ik stel me iets voor als de "Planeet van de Ex-echtgenoten". Laten ze al dat geld dat naar NASA gaat maar eens goed besteden. We zouden ze gewoon de ruimte in kunnen schieten.'

'Dat lijkt me geen slecht idee.'

'Mam?' riep Sandy. 'Kun je even komen, alsjeblieft?'

Gloria ging eerst, glimlachend en met haar armen uitge-

stoken naar Mort. 'Mort!' zei ze. 'Dat we elkaar nu bij Roseman tegenkomen.'

Mort kuste haar wang en gaf haar een kneepje in haar
schouder. 'Je ziet er goed uit, Gloria.' Hij zei het op precies
dezelfde toon die hij tegenover mij altijd gebruikte, alsof hij
zowel verbaasd als onder de indruk was van onze schoonheid. Ik had zin om hem te schoppen. 'Hoe gaat het met
Buzz?'

'Prima. De berichten over zijn dood zijn schromelijk
overdreven. Eigenlijk sta ik op het punt om naar hem toe te
gaan. De volgende keer dat je in de stad bent moet je het me
even laten weten.' Gloria gaf Sandy een kus en zwaaide me
gedag.

'Ik neem aan dat zij van alles op de hoogte is,' zei Mort
toen hij haar nakeek. 'Je grote medesamenzweerder. Ze
vindt het vast heerlijk.'

'Niemand vindt dit heerlijk,' zei ik. Zonder Gloria had ik
minder zelfvertrouwen. Het leek alsof zij alle zuurstof uit de
winkel had meegenomen bij haar vertrek.

Mort begon door de winkel te ijsberen. 'Ik zie dat je de
zaak om zeep helpt. Maakt dat deel uit van de romance? Hij
haalt je over de zaak op de fles te laten gaan zodat hij de enige in de stad is?'

'Mort.'

'Waar zijn alle bloemen? Kun je me dat vertellen? Dit is
een bloemenzaak, je hoort bloemen in huis te hebben.'

'Er waren problemen met de leveranties, oké. Alleen vandaag. Wil je beweren dat in alle jaren dat jij hier werkte er
nooit een probleem is geweest met een leverantie?'

'Ik had wel problemen maar dan hing ik altijd aan de telefoon tegen iemand te schreeuwen. Wie heb jij vanmorgen
gebeld?'

Ik had niemand gebeld. De groenten kwamen, toen Sandy en even later Gloria. Ik had er niet eens aan gedacht. 'Ik
doe mijn winkel op mijn manier.'

'Jouw winkel. Dat kan ik niet uitstaan. Jouw vader beloofde mij deze winkel. Hij zei dat het mijn winkel was.'

'Op de onuitgesproken voorwaarde dat je er niet met een bruidsmeisje vandoor zou gaan, Mort. Wat had je dan gedacht?'

'Ik verwachtte een eerlijke behandeling. Ik heb mijn leven gegeven voor deze zaak.'

'Nou, dan weet je in ieder geval hoe het voelt,' zei ik.

Sandy schraapte haar keel. 'Mam, pap, ik vind het allemaal heel fascinerend maar als jullie het niet erg vinden dan ga ik nu.' Op de een of andere manier was ze naar de deur gelopen zonder dat we het gemerkt hadden.

'Ach, lieverd,' zei Mort. 'Je moet het je niet zo aantrekken. Je moeder en ik praten alleen maar.'

'Praat wat je wilt,' zei Sandy. 'Ik wil het alleen niet horen.'

Ze vloog als een kogel door de deur, en de deurbel liet een ware symfonie horen. Ik keek haar in het zonlicht dansende krullenbos na. Sandy's haren deden hun best haar lichtheid te geven. Hoe ze ook haar best deed weg te rennen, ze huppelde altijd.

'Sandy heeft gelijk, we moeten niet zo praten, vooral niet in haar bijzijn.' Mort maakte slechts een handgebaar. 'Die meiden moeten wat harder worden. Ze zijn veel te gevoelig.'

'Moet Nora harder worden?'

'Jij begrijpt Nora niet. Vanbinnen is ze een drilpudding.'

Ik had absoluut nooit eerder aan die mogelijkheid gedacht en ik wist niet zeker of het idee me aanstond. 'Misschien begrijp ik haar niet.' Ik liep naar twee potten hortensia's en schoof ze buiten het bereik van de ochtendzon. 'Maar jij bent niet degene die me dat hoeft te vertellen.' Ik bleef staan en keek Mort aan, die meer dan mijn halve leven mijn echtgenoot was geweest. Mort die ik op mijn twintigste al kende. Mort die tot op de dag van vandaag geloofde dat hij me mijn maagdelijkheid had ontnomen. 'Mort, ga gewoon weg, oké? We zullen alleen maar een vreselijke ruzie krijgen. We zijn nu zo ongeveer op het punt dat er heel wat tussen ons is gebeurd. We zijn beiden verder gegaan met ons leven. Wat heeft het voor zin om alles weer op te rakelen, om ruzie te maken over de winkel of de meiden. Die ruzies hebben we allemaal al gehad. Als je nu gaat, hebben Lila en jij een leuke vakantie in Boston. Bezoek de kinderen, niet mij, zeg tegen Nora wat je maar wilt. Dat is niet zo'n slecht idee, vind je ook niet?'

'Dus je blijft bij die Cacciamani's uit de buurt, is dat wat je wilt zeggen?'

Ik liet me in het rotanstoeltje zakken. 'Waar maak je dat in godsnaam uit op?'

'Omdat het daar allemaal om gaat. Niet om de winkel en niet om de meiden. Je vader hield zijn belofte niet aan mij, maar ik houd wel mijn belofte aan hem. Hij vertelde me dat Rosemannen en Cacciamani's bij elkaar uit de buurt moeten blijven. Het was mijn taak om daarvoor te zorgen. Je weet dat dat hele gedoe met Sandy bijna het hart van je ouders brak. Ik weet dat het je vader vijf jaar van zijn leven heeft gekost.'

'Ik heb je gezegd dat je het hun niet moest vertellen.'

'Jij begrijpt niet hoe de wereld in elkaar zit, Jules. Die rotzak van een Cacciamani is niet gewoon een vent met wie ik niet kan opschieten. Ik heb hem jaren aan het werk gezien en toen die rottige zoons van hem. Dit zijn geen gewone slechte mensen. Ik denk dat ze waarschijnlijk van de maffia zijn.'

'De bloemenmaffia, Mort? Doe me een lol. Wat hebben de Cacciamani's je ooit gedaan? Heb je enig idee waar deze hele vete over gaat?'

'Nou?' vroeg Mort. 'Waar gaat het over? Julie, waar heb je in godsnaam al die jaren gezeten? Het gaat over zaken. Het gaat erover dat zij onze naam in de hele stad zwart hebben lopen maken, ze vertelden overal rond dat we voor bruiloften oude bloemen gebruikten. Ze vertelden dat we naar het kerkhof gingen om na begrafenissen onze boeketten weer op te halen, nou vraag ik je. Ze zorgden ervoor dat ik niet bij de Rotary kwam. Ze hebben ervoor gezorgd dat we een jaar niet in het telefoonboek hebben gestaan. Het telefoonboek! Weet je eigenlijk wel wat dat betekent? En het begon niet met Romeo. Bepaald niet. Het gaat terug tot zijn ouwe heer en dat slechte ouwe kreng met wie hij getrouwd was, ik hoop dat ze wegrotten in de hel.'

'Niet zo snel. Ze is nog niet dood.'

'Hoe is het mogelijk?' Mort haalde zijn schouders op. 'Dan zitten ze op haar te wachten. Ze zijn hun hooivorken aan het slijpen. Die mensen hebben ons op alle mogelijke manieren ondermijnd. Ze belden onze grote klanten op om te zeggen dat we de order geannuleerd hadden, dat zij nu de bloemen zouden leveren. En God sta me bij als ik een maandagochtend niet op tijd was om de leverantie in ontvangst te nemen. Dan waren alle knoppen van de bossen rozen eraf.'

Goed, dat geloofde ik. Ik had al eens een Cacciamani een plant zien onthoofden. 'Maar als dit waar is, sommige dingen of iets ervan, wat deed mijn vader dan terug? En wat deed jij? Verwacht je dat ik geloof dat de Cacciamani's alle klappen uitdeelden en de Rosemannen niets terugdeden?'

Mort keek me aan alsof hij me onmogelijk goed verstaan kon hebben. Normaal gesproken maakte ik me zorgen als ik op een maandagmorgen geen klanten had, maar vandaag was ik opgelucht.

'Is dat wat je wilt geloven? Is dat wat je wilt dat je familie had gedaan, je lieve Romeo nooit iets aandoen? Natuurlijk ging ik achter hen aan. Je ouders ook. Als we klappen kregen sloegen we terug. Dat noemen ze leven, Julie.'

'Leven, prima, maar wie deelt er na een paar generaties de eerste klap uit? Reageer je gewoon of ga je er echt op uit om hen aan het kruis te nagelen?'

'Wat maakt dat in jezusnaam voor verschil? We hebben het over Cacciamani's. Waar het om gaat is dat we hen te pakken nemen voordat ze ons pakken.'

'Maar zie je het dan niet, Mort? Het is een spel. Zij speelden het en wij speelden het. Iedereen haat iedereen. Maar als wij besluiten ermee op te houden, als beide partijen besluiten niet meer te vechten, dan is het spel voorbij. Zo eenvoudig is het.'

'Het zou zo eenvoudig zijn als je met eerlijke mensen speelde, maar dat is niet het geval. Even hypothetisch, stel dat Sandy begon te corresponderen met een moordenaar die in de gevangenis zit. Stel dat ze na een poosje naar ons toe kwam en zei: "Pap, mam, Spike is veranderd en hij is nu een fantastische vent en ik ga met hem trouwen in de gevangenis." Zou je dan niet voor een trein springen om te proberen dat tegen te houden?'

Ik wilde zeggen dat ik op het goede oordeel van mijn dochter zou vertrouwen, maar het scenario kwam me niet helemaal ongeloofwaardig voor. 'Ja, maar als wat je zegt...'

'Wat ik zeg is dat liefde ons blind maakt.' Een seconde klonk zijn stem zacht. Hij kwam naar me toe en leunde tegen de toonbank. Mort zag eruit alsof hij net zo doodmoe was van dit hele gedoe als ik. 'We zien niet altijd het hele verhaal. Daarom moeten de mensen die van ons houden, de mensen die voor ons verantwoordelijk zijn, zich er soms mee bemoeien om ons te redden.'

'O, Mort, ik verwacht niet dat jij dit begrijpt, maar ik hoef niet gered te worden. Toen jij er met Lila vandoor ging dacht ik hetzelfde. Ik geloofde niet dat zij het beste voor je wilde. Maar jij wilde weg om je eigen leven te leiden.'

'Ik laat het hier niet bij zitten, Julie.'

'Je zult wel moeten. Je woont in Seattle en vroeg of laat moet je weer naar huis. Ik heb echt geen zin om ruzie met je te maken. Ik wil gewoon dat je weggaat.'

Mort zuchtte en keek de winkel rond. Zonder een mo-

ment te aarzelen pakte hij de mooiste pot met paarse cycla-
men uit een stel potten in een bak en zette hem naast de
kassa. 'Je moet ze op ooghoogte zetten. Je weet dat Lila en
ik nu een winkel hebben. Eerst vond ik het niet juist, ik
dacht dat ik iets anders moest gaan doen maar ik zal je vertellen dat je niet zomaar met bloemen kunt ophouden, niet
nadat je er je hele leven mee hebt gewerkt. Het gaat in je
bloed zitten.'

Ik vroeg hem hoe de zaken gingen.

'Zo zo. Er gaat heel wat meer geld om, maar alles is ook
veel duurder. Eén sjiek feest voor Microsoft en we verdie-
nen meer geld dan deze winkel in een maand omzette. Lila
heeft het vak snel geleerd. Ze heeft veel talent voor bloemen.'

'Ik ben blij dat te horen.'

Mort liep naar de koelcel en haalde de emmer met Siberische irissen er uit. 'Je moet deze ergens anders zetten.'

'Ik heb ze vandaag net binnengekregen.'

'Irissen gaan niet zo lang mee. Je moet ze verkopen.'

Ik wilde hem tegenhouden, maar hij had gelijk. Bovendien was het een opluchting even geen ruzie te maken.

Mort zette zijn handen in zijn zij en inspecteerde de winkel, de opperheer aanschouwde. 'Dit is een geweldige plek,
weet je dat? De ruimte, het licht. Een plek zoals deze vind je
niet in Seattle. Er zou wat gemoderniseerd kunnen worden,
maar de hele sfeer ervan... ik heb me hier altijd thuis gevoeld. Vanaf het eerste moment dat je me meenam geloofde
ik dat dit op een dag allemaal van mij zou zijn. Ik hield van
deze winkel.'

'Dat weet ik.'

'Laat me de boeken eens zien, Julie. Ik weet zeker dat je
de hele zaak naar de maan helpt.'

'Het is nu mijn winkel. Laat maar.'

'Ik weet dat het jouw winkel is, maar de zaak gaat me nog
steeds aan het hart. Ik vraag niet zoveel. Geef me een paar
uur de tijd.'

'Hoor eens, Mort, ik probeer je mijn zaak uit te krijgen, niet er dieper in.'

Mort wreef langs zijn ogen. 'Als de winkel in brand stond zou je mijn emmer water dan weigeren?'

'Doe niet zo stom.'

'Nee, jíj moet niet zo stom doen. Misschien ben ik wel in staat de brand te helpen blussen. Waarom probeer je niet eens meer van Roseman te houden dan je mij haat.'

Alleen mijn ijdelheid weerhield me. Ik wilde dat Mort dacht dat ik mijn eigen boontjes wel kon doppen. Maar eerlijk gezegd was hij goed in de boekhouding en maakte ik er een puinhoop van. Hij wist manieren om onze orders te verwerken die ik nooit onder de knie gekregen had. Hij had gelijk, we zakten in het moeras. Ik had hulp nodig. 'Oké,' zei ik uiteindelijk en gebaarde naar het bureau. 'Je weet toch al waar alles ligt. Er is niets veranderd.'

'O, Julie,' zei hij met iets in zijn stem waarvan ik dacht dat het verdriet was. 'Alles is veranderd.'

15

Het enige goede van Mort naar de boekhouding laten kijken was dat hij daardoor even niet aan Romeo dacht. 'Jezus!' schreeuwde hij zo nu en dan terwijl ik de klanten hielp.

Dan keken de klanten naar achteren in de winkel. Sommigen leken bang, anderen waren gewoonweg in verwarring. 'Hij probeert het bureau te verplaatsen,' zei ik kalmpjes. 'Het is heel zwaar.'

Op een gegeven moment trok Mort het gordijn open dat de winkel in tweeën deelde. 'Wat probeer je te doen?' vroeg hij. 'Ons te vermoorden? Alles kwijt te raken?'

'Mezelf te vermoorden,' zei ik naar mijn borst wijzend. 'Niet ons. Ik heb iets te verliezen.'

'Nou, gefeliciteerd met je pasgevonden vrijheid want je bent hem kwijtgeraakt.'

'Hoe moest ik weten wat ik moest doen? Vierendertig jaar lang mocht ik nooit in de winkel komen en vervolgens ga jij er met Lila vandoor naar Seattle. Er was geen tijd om een cursus boekhouden te doen. Ik moest aan het werk.'

'Daar huur je mensen voor in, Julie. Ze worden accountants genoemd. Die zijn er voor mensen die niet weten wat ze in godsnaam moeten doen.'

'Waarmee, Mort? Jij had het geld, weet je nog? Dat was de afspraak. Het huis is tot aan de dakgoot verhypothekeerd. Ik heb een lening op de winkel genomen.'

'Je hebt een lening op Roseman genomen!'

Ik had het hem niet willen vertellen maar hij zou er binnen een half uur toch zijn achtergekomen. Ik voelde dat me de tranen in de ogen sprongen. Ik werd overweldigd door schaamte en schuld want ik wist wat hij bedoelde. Ik had de winkel van mijn ouders verpand, een lening afgesloten op juist datgene waar zij hun hele leven voor hadden gewerkt om af te betalen. 'Ik wist niet wat ik anders moest doen.'

'Je had mij moeten bellen.' Mort was razend. Tranen hadden geen effect op hem.

'Ik zou jou niet bellen. Dat weet je.'

Mort trok het gordijn dicht en ging weer aan het werk. Ik gaf een paar planten water. Wat zou er gebeuren als ik Roseman verloor? Wie zou ik zijn zonder de bloemenwinkel? Met Nora zou het altijd prima gaan en ze gaf toch niets om bloemen, maar ik wilde dat de winkel er voor Sandy was als ze hem wilde hebben. Misschien wilde ze geen verpleegster zijn of kreeg ze er op een dag genoeg van. Zij kon een succes maken van de zaak. Ik wilde dat hij er was zodat ze hem op een dag aan Tony en Sarah kon geven. Ze zouden een perfecte combinatie vormen. Tony zou achterin de zaken prima regelen en Sarah zou voorin iedereen met haar charmes betoveren. Als ik eraan dacht dat ik uit pure incompetentie weleens de enige erfenis van mijn familie zou kunnen hebben verkwanseld, kon ik wel doodgaan van ellende. Ik liep naar achteren. 'Laat maar,' zei ik tegen Mort. 'Je kunt er toch niets aan doen. Ga naar Lila. Ze vraagt zich vast af waar je in hemelsnaam bent.'

Mort keek niet op. Hij drukte zo snel als zijn vingers hem toestonden op de toetsen van een rekenmachine. Achter elk oor zat een potlood. 'Laat me met rust.'

'Ik meen het, Mort. Laat maar. Het is jouw probleem niet.'

'Het is wel mijn probleem. Ga weg en verkoop verdomme wat bloemen.'

Ik sloot het gordijn. Ik kon wel huilen. Ik was ervan overtuigd dat ik mijn huwelijk, mijn zaak, mijn dochter en Romeo had verloren of na verloop van tijd zou verliezen. Ergens keken mijn ouders op me neer en zouden in wanhoop hun hoofd schudden.

Ondanks het gebrek aan bloemen, het gemis van Sandy en mijn algehele sombere gedrag werd er behoorlijk verkocht. Om één uur vroeg Mort of ik een broodje voor hem wilde kopen en dan zou hij op de winkel letten. Ik hoefde hem niets te vragen. Ik wist heel goed dat hij rosbief met mierikswortel op een uienbroodje wilde, extra zuur, geen chips en een Sprite light.

Ik liep een straat verder naar de broodjeszaak waar ze de vetrandjes altijd van de rosbief afsneden.

'Waarom kan Lila dit nooit eens goed doen?' vroeg Mort zich hardop af toen hij in de zak keek. Toen ging hij weer aan het werk.

Ik had voor mezelf yoghurt gekocht maar had er ineens geen trek meer in. Ik zette het terug in de koelcel achter wat madeliefjes en begon me weer zorgen te maken.

Het kwam goed uit dat het rond twee uur, wanneer Sandy gewoonlijk vertrok, altijd even stil was, dan volgde er een korte drukte van vijf tot zes als echtgenoten en vriendjes op weg naar huis uit hun werk binnenkwamen voor een kant-en-klaar boeket. Heel in het algemeen gezegd kopen vrouwen overdag bloemen en mannen als de zon onder begint te gaan. Meestal zat ik van twee tot vijf aan de boekhouding maar nu zat Mort er nog, vloekend en ingehouden kreunend. Vandaag rinkelde de bel om half drie en kwam een heel nerveus uitziende Romeo Cacciamani binnenlopen. Hij droeg een grijze broek en een heel mooi wit overhemd met opgerolde mouwen. Hij zag er bijna onverdraaglijk knap uit.

'Mijn god,' zei ik, mijn stem was automatisch in gefluister overgegaan. 'Wat doe je hier?'

'Je vriendin Gloria zei dat Sandy nu haar kinderen uit school ophaalt. Klopt dat? Is Sandy hier?'

Ik wierp een blik over mijn schouder en liep snel naar voren. Ik kuste hem. Ik kon er niets aan doen. Ik was zo blij en het speet me zo hem te zien. 'Ze is er niet, maar je moet gaan. Echt. Ze kan elk moment terug zijn.'

'Het spijt me. Ik weet dat ik niet had moeten komen. Ik rij al een halfuur rond terwijl ik tegen mezelf zeg dat ik niet moet gaan. Maar ik moest je zien.'

'Ik vond de groenten prachtig.'

'Ja? Ik wist gewoon niet wat ik moest sturen. Ik wilde iets groots voor je kopen, bijvoorbeeld Californië, maar daar was geen tijd voor.' Hij sloeg zijn armen om me heen. Ik voelde me in de zevende hemel. 'Wat dacht je van morgenavond uit eten?'

'Graag,' zei ik. 'Ik kan wel iets bedenken maar nu moet je gaan.' Ik kon niet geloven dat ik de woorden uit mijn mond kreeg. Ik wilde dat hij bleef, altijd bleef. Ik wilde hem alles wat er gebeurde vertellen. Ik wilde hem alles wat ooit in mijn leven gebeurd was vertellen.

'Is alles in orde? Je lijkt zo ontdaan.'

'Het is een zorgelijke tijd,' zei ik en toen, alsof hij mijn gelijk wilde bewijzen, kwam Mort achter het gordijn vandaan met drie ringbanden. Hij liet ze vallen.

'Cacciamani!' schreeuwde hij. 'Haal die smerige knuisten van mijn vrouw.'

'Vrouw?' dacht ik. Waar was Lila gebleven?

'Wat doet hij in godsnaam hier?' vroeg Romeo, met zijn knuisten stevig op me.

'Het gaat je geen donder aan wat ik hier doe. Maak dat je wegkomt voordat ik je in stukken scheur.'

Romeo stapte bij mij vandaan, in de richting van Mort. 'Je woont hier niet meer, tenzij ik het verkeerd begrepen heb.'

'Ik zal je vertellen, maat, dat je helemaal verkeerd zit.' Mort kwam achter de toonbank vandaan.

'Hoor eens,' zei ik. 'Dit is een belachelijk misverstand. Mort is op bezoek en Romeo gaat net weg. Ophouden nu.'

'Ik ga niet weg,' zei Romeo. Mort was groter dan Romeo, maar Romeo was gebouwd als iemand die een stier door een muur kon drukken, of in ieder geval had hij dat twintig jaar geleden ongetwijfeld gekund.

Mort knikte, zijn aderen zwollen op. 'Nou, mooi. Dat komt goed uit, want ik wilde toch al met je komen praten. Je hebt me een reis bespaard.'

'Mort,' zei ik op een toon die gebruikt wordt om nerveuze dobermannpinchers te kalmeren. 'Rustig aan.'

'Hou je erbuiten, Julie. Jij,' zei hij naar Romeo wijzend, 'moet uit de buurt van mijn familie blijven. Ik dacht dat ik dat in het verleden duidelijk had gemaakt, maar misschien moeten we het er nog eens over hebben. Blijf uit de buurt van Julie. Blijf uit de buurt van mijn meiden. Blijf uit de buurt van mijn winkel.'

'Je kunt hem niet zeggen dat hij bij mij uit de buurt moet blijven, Mort, of uit de buurt van de winkel.' Niet dat ik op dat moment helemaal tegen hem was. Hij had de hele dag geprobeerd nog iets van mijn boekhouding te maken. Hij was moe en vreselijk gefrustreerd en ik dacht dat deze ontmoeting ongetwijfeld beter zou zijn verlopen als hij een andere keer had plaatsgevonden.

Mort richtte zich tot mij. 'Sta je aan zijn kant?'

'Alsjeblieft. Echt, laten we hier allemaal mee ophouden.'

'Na alles wat die gek mij heeft aangedaan?' zei Romeo. 'Jou heeft aangedaan? Als hij wil vechten laat hem dan maar op komen. Ik zweer je dat ik het verleden achter me heb gelaten. Ik ben vergeten wat er gebeurd is.' Hij wendde zich tot Mort. 'Maar als je erover wilt beginnen weet ik zeker dat ik het me weer kan herinneren.'

'Vechten?' zei Mort, zijn ogen schitterend als diamanten. 'Wil je met me vechten?'

Wie zei deze dingen? Mensen schreeuwden, daagden elkaar uit, maar vechten was iets dat alleen in films werd gedaan.

'Als je dat wilt, kom dan maar op.'

Romeo had de woorden nog niet gezegd of Mort had de cyclaam in zijn hand en gooide hem naar Romeo's hoofd.

Mort had in het honkbalklassement van Massachusetts ge-speeld toen hij studeerde en zolang hij in Somerville woon-de had hij in een softballteam gespeeld. Hij kon een ver-frommeld papieren handdoekje door een raam werpen. Ze noemden hem 'de Arm'.

Het was een aardewerken pot. Vooral dat speet me. Hij raakte Romeo op zijn linkerslaap en explodeerde in een waaier van aarde, bloemblaadjes, steeltjes en terracotta scherven. Romeo viel.

Ik wist nauwelijks welke kant ik op moest. Moest ik Ro-meo helpen of Mort aanvallen? Ondanks al zijn woedeaan-vallen had ik Mort nog nooit iemand zien slaan. Hij gaf zelfs de meisjes nooit een pak slaag toen ze klein waren. Ik kniel-de naast Romeo neer. Zijn hoofd bloedde hevig en ik pro-beerde de aarde uit zijn ogen te vegen. Ik hield van hem. Het was een van die momenten in het leven dat je iets zeker weet.

'Mort, stomme klootzak, je had hem kunnen vermoor-den!'

Ik dacht dat hij uitgeteld op de grond lag maar toen ik het over vermoorden had stond Romeo, bloedend en overdekt met potaarde, op van de grond en vloog op mijn ex-echtge-noot af alsof hij vleugels had. Ik geloof niet dat zijn voeten de grond raakten totdat hij zijn handen om Morts keel had en zijn hoofd tegen de toonbank begon te slaan. Op de een of andere manier tilde Mort zijn arm op en gaf een beuk op precies die plek waar Romeo's hoofd was opengespleten. In een reflex tilde Romeo zijn knie op.

Ik had niet veel gevechten in mijn leven gezien. Een paar opstootjes op Harvard Square. Een keer twee tienerjongens op straat voor mijn winkel. Toen had ik de politie gebeld. Ik vroeg me af of ik nu moest bellen. Het was nooit bij me op-gekomen dat intelligente volwassen mannen nog vochten en toch stond ik daar, te kijken alsof alles onder water plaats vond. Ik dacht dat er regels waren bij het vechten. Dat er bepaalde dingen waren die mensen niet deden. Ik vergiste me. Ze sloegen, trokken. Ik geloof dat ik Mort zag bijten. De Siberische irissen waren omgevallen en vertrapt tot een paarse smurrie. Ze gooiden het rek met wenskaarten omver en vernielden de Kaapse viooltjes. 'Hou op!' schreeuwde ik. 'Hou op!'

Door die simpele woorden gingen ze uiteen, rolden ze krachteloos en hijgend, bloedend en ontwricht bij elkaar vandaan. Ze stonden op het punt ermee op te houden. Ze hadden alleen iemand nodig om hun dat te zeggen. Ze lagen op de grond tussen de aarde en de bloesems, beiden niet in staat op te staan. Binnen een minuut waren ze beiden verwoest, was de winkel verwoest, was ik verwoest. Ik ging naar Romeo toe, wiens hoofd onder het bloed zat. Zowel zijn voorhoofd als zijn lip bloedde nu en zijn rechterhand lag in een onnatuurlijke hoek gedraaid. Hij zei mijn naam en probeerde zijn gezicht aan te raken om te zien of er nog iets van over was. Onder zijn hoofd vormde zich een helderrood plasje.

Maar ik maakte me meer zorgen om Mort. Op het eerste gezicht zou je zeggen dat hij er het beste uitzag. Ik denk dat het meeste bloed dat op hem zat van Romeo was, maar er zat een afschuwelijke zwelling op de zijkant van zijn hoofd waar de huid strak stond en glimmend geel zag. Het lukte me niet een reactie uit hem te krijgen. Hij bleef nog even hangen in een mompelende, half bewuste staat en zakte toen weg. Ik legde mijn hoofd op zijn borst en luisterde naar zijn hart.

Romeo hees zich overeind in een zittende positie, bij iedere beweging ineenkrimpend. 'Moeder van God,' zei hij toen hij me zag luisteren, 'zeg me alsjeblieft dat ik hem niet heb vermoord.'

'Je hebt hem niet vermoord,' zei ik. 'Maar ik ga wel een ambulance bellen.'

De tijd ging als in een droom voorbij. Het ziekenhuis was

heel dichtbij, maar toch leek het alsof de ambulancejongens al door de deur kwamen rennen zodra ik de telefoon had neergelegd. Omdat ik, toen ze het me door de telefoon vroegen, had verteld dat de verwonding veroorzaakt was door een vechtpartij stuurden ze ook de politie. Blauwe en rode lichten flitsten helder door het raam van de winkel en Ginger, de vrouw van de naburige kledingzaak, kwam kijken of ik was vermoord.

'Kent u deze mannen?' vroeg de jonge politieagent toen twee verplegers met Mort aan de slag gingen en de derde Romeo's hoofd verbond.

'Ex-echtgenoot,' wees ik. 'Nieuwe vriend.'

Hij knikte en klapte zijn boekje dicht.

'Hier hebben we een hersenschudding,' zei de verpleger van Mort.

'Deze verliest veel bloed,' zei Romeo's verpleger. 'We moeten ze meenemen.'

Ik dacht dat hij zou tegenstribbelen, maar Romeo liet zich simpelweg in de armen van de man zakken en op een stret-cher tillen. Ze hadden het slappe lichaam van Mort al op een brancard gebonden en zij aan zij, als slapies tijdens een kampeerweek, werden ze in de ambulance geschoven. Ge-durende de korte rit ging ik tussen hen in zitten, om zeker te zijn dat niemand wakker zou worden en weer op de vuist zou gaan. Ik zag door het achterraam Somerville snel ver-dwijnen terwijl de ambulance loeide en jammerde. Ik had op elke borstkas een hand gelegd, Romeo aan mijn linkerkant en Mort aan mijn rechterkant. Ze hadden allebei hun ogen gesloten en hun ademhaling ging moeizaam en piepend. Ik wist dat het nooit meer zoals nu zou zijn, dit moment dat ik in staat was hen beiden een beetje te steunen.

Tegen de tijd dat we aankwamen zat ik behoorlijk onder het bloed en een vriendelijk uitziende dokter hielp me met uitstappen en vroeg me toen of ik tijdens het gevecht ge-wond was geraakt. Ik zei van niet, hoewel al mijn handelingen mijn bewering tegenspraken. Ik was duizelig en in de war. Als ik aan Romeo's bloed dacht moest ik mijn hoofd tussen mijn knieën steken om niet flauw te vallen. Bij de Eerste Hulp gingen ze meteen met Mort en Romeo aan de slag. De aardige politieagent gaf me een papieren bekertje met koud water en wees naar de telefoon.

'Belt u toch iemand,' zei hij.

Ik belde Sandy. 'Luister goed,' zei ik. Ik zei haar dat ze Gloria moest bellen om op de kinderen te passen. Dan moest ze Nora bellen en naar het ziekenhuis komen. 'Je vader heeft gevochten.'

'Hebben jullie gevochten?' vroeg Sandy. 'Zijn jullie op de vuist gegaan?'

'Het was Romeo,' zei ik. Het deed er niet toe of zij het wist of dat Nora het wist of wie dan ook maar. Het was voorbij. Niemand kon terugkomen na zoiets.

'Hoe erg is het?' vroeg Sandy met aarzelende stem.

'Niet zo erg als dood. Zelfs geen blijvende schade. Maar erg.'

'En Romeo?'

'Hmm, ik denk zo'n beetje hetzelfde. Het is moeilijk te zeggen. Ik moet zijn familie bellen. Hij is behoorlijk ernstig gewond.'

'Wacht met bellen tot ik er ben,' zei Sandy praktisch. 'Ze zullen je vermoorden.'

Ik wist niet zeker hoe Sandy me zou willen redden van de dreigende woede van de Cacciamani's maar het was lief dat ze aan me dacht. Ik zat enkele minuten met de telefoon in mijn handen voordat ik me vermande en de winkel belde.

'Romeo's,' zei een stem.

Ik vroeg naar Raymond Cacciamani. Ondanks onze onplezierige eerste ontmoeting herinnerde ik me dat Romeo had gezegd dat Raymond zijn verstandigste zoon was.

'Komt voor mekaar,' zei de stem, zo opgewekt, zo behulpzaam. Het klonk alsof de winkel vol stond. Het klonk alsof ze er een feestje hadden. 'Ray-mon-d.'

Het was even stil en ik probeerde niet in snikken uit te barsten. Een andere maar toch heel erg gelijkende stem klonk. 'Raymond Cacciamani.'

Ik schraapte mijn keel. 'Raymond, niet ophangen. Er is een ongeluk gebeurd en je vader ligt in het ziekenhuis. Dit is Julie Roseman.' Het leek me het beste om dat als laatste te zeggen.

'Het Somerville Ziekenhuis?' zei hij alsof hij een bestelling aannam.

'Ja.'

Raymond hing op.

Ikzelf zou een aantal vragen gesteld hebben. Met alleen deze informatie kon hij wel denken dat Romeo dood was. Ik was van plan geweest hem te smeken om alleen te komen. Ik wilde hem zeggen dat het maar een sneetje was en dat alles verder goed was. Te laat. Ik dacht niet dat het zin had het nog eens te proberen.

Ik ging naar de verpleegsterspost om om inlichtingen te vragen.

'Bent u familie?' vroeg de verpleegster zonder op te kijken.

'Ik ben de ex-vrouw van de ene en de vriendin van de andere.'

'Dus in beide gevallen niet echt familie. Ze kunnen op dit moment toch geen van beiden bezoek ontvangen. Waarom wacht u niet nog even?'

Dus ik liet me in een geel plastic stoeltje vallen en ik wachtte, ik wachtte op Nora en Sandy en alle Cacciamani's. Ik wachtte op het moment dat ik de prijs voor een beetje geluk moest betalen.

16

Een gebroken ex-echtgenoot, een verslagen nieuwe minnaar, twee hysterische dochters en een hele bende woedende Cacciamani's, daar bereidde ik me op voor. Wat ik vergat, verbijsterend genoeg, was het enige waar ik me oprecht zorgen over had moeten maken: Lila de echtgenote. Ik denk dat het in mijn verwarde mentale toestand begrijpelijk was dat ik haar verdrong, en toch, toen ze op haar hoge hakken door de elektronische deuren kwam klikken, voelde ik de laatste restjes innerlijke lijm die me bijeen hadden gehouden, oplossen. Lila Roth, zowel bruidsmeisje als bruid. We hadden elkaar eerder ontmoet, of beter gezegd, we waren elkaar op de oprijlaan voorbijgelopen toen ze Mort hielp verhuizen en ik vertrok om niet te hoeven toekijken. Die dag droeg ze een afgeknipte spijkerbroek en een rood topje. Op mijn sterfbed zal ik me die kleding nog herinneren. Ik weet dat het allemaal projectie is. Niets van wat er vandaag gebeurd was kon de schuld van Lila zijn, en toch hield ik haar met iedere vezel van mijn lichaam verantwoordelijk toen ze over de witte tegels in mijn richting kwam stampen. Nora liep vlak achter haar.

Lila was blond. Misschien van nature, misschien niet. Hoe kon ik het weten? Ik was haar kapper niet. Ze bezat een soort slankheid die een teken was van zelfobsessie. Ze had oogschaduw op, haar nagels waren zo roze als schelpen, ze droeg kousen en schoenen met een open neus, haar tanden waren gebleekt tot ze zo wit zagen als een toiletpot. Moet ik verder gaan? Geen enkel detail ontging me.

'Heb je hem vermoord?' Dat waren de eerste woorden die ze tegen me zei. Haar adem rook naar pepermunt.

'Met Mort komt alles weer in orde.' Ik had absoluut geen informatie om deze bewering te ondersteunen. Zij arriveerden als eersten van de menigte. Ik denk dat Sandy haar zus had gebeld en zelf nog steeds thuis wachtte tot Gloria zou komen om op de kinderen te passen.

'Waar is hij? Wat heb je met hem gedaan?'

Wat ik met hem gedaan had, alsof ik hem misschien in een voorraadkast had opgesloten? 'De dokters zijn nu bij hem.'

'De dokters!' zei ze. 'Er zijn dokters bij hem!'

'Dit is een ziekenhuis.'

'Moeder, wat is er gebeurd?' vroeg Nora. Ze was keurig gekleed als altijd maar leek iets minder zelfbewust, alsof ze zich haar aandeel in de gebeurtenissen van de dag bewust was geworden.

'Je vader kwam naar de winkel en daarna kwam Romeo naar de winkel. Ik verwachtte geen van beiden. Ze gingen op de vuist.'

'Dus je vriendje heeft dit gedaan. Je geeft het toe!' zei Lila.

'Ik geef het toe,' zei ik.

'Nora, jij bent mijn getuige. Je kunt erop rekenen dat ik je voor het gerecht zal slepen.'

Maar Nora liet het afweten als getuige. Ze toetste een nummer in op haar gsm en ijsbeerde ondertussen op en neer in de hal om ongestoord te kunnen bellen. Even had ik een ontmoedigend visioen van Nora die voor de rechtbank tegen mij getuigde. Ze zou me voor de jury aanwijzen en zeggen: zij is het. 'Ik weet niet waarvoor je me precies wilt vervolgen. Ik heb geen geld. Ik was niet bij het gevecht betrokken.'

Lila was maar heel even van haar stuk gebracht. 'Het gebeurde in jouw winkel. Dat betekent dat je aansprakelijk bent.'

'Nou, aangezien Mort de eerste bloempot gooide zou ik

zeggen dat jij aansprakelijk was, als ik iemand was die andere mensen wilde vervolgen, en dat ben ik niet.'

'Je bent een verachtelijk kreng,' zei Lila. 'Ik zei tegen Mort dat dit waanzin was, naar de andere kant van het land vliegen om jouw liefdesleven op orde te brengen. Maar hij moest je helpen. Hij moest de reddende engel zijn. En dit is jouw manier om hem te bedanken.'

'Mijn manier om hem te bedanken,' herhaalde ik en toen dacht ik aan Romeo. 'Ben je niet ook maar een beetje benieuwd naar hoe het met hem gaat? Wil je niet even met zijn dokters praten?'

Lila liet haar oogverblindende snijtanden flikkeren in iets dat tussen een grauw en een snauw in zat. Heel even dacht ik echt dat ze me wilde bijten. Toen stampte ze weg. Nooit eerder is één vrouw erin geslaagd zo'n kleine hak zoveel geluid te laten produceren.

'Ik kan niet geloven dat je dit hebt laten gebeuren,' zuchtte Nora. Ze keek naar Lila's aftocht richting verpleegsterspost maar ging haar niet achterna. 'Alex komt eraan. Als ze weer over vervolgen begint kan hij haar misschien de mond snoeren.'

Ik heb Nora één keer geslagen toen ze vijftien was. Ze kwam om vier uur 's morgens dronken thuis nadat ik de hele nacht met de politie en de plaatselijke lijkenhuizen had gebeld. Ze kwam de voordeur in en liep zonder stil te blijven staan om te groeten naar haar slaapkamer. Toen ik haar naam riep in een mengeling van opluchting, vreugde en woede, zei ze me dat ik dood kon vallen. Ik gaf haar met mijn vlakke hand een klap in haar gezicht, precies op die manier waarop je dat volgens elke kinderpsycholoog nóóit moet doen. Ik heb jarenlang die scène in gedachten doorgenomen, onderwijl pogend te bedenken hoe ik het anders had kunnen doen, beter, maar ik kwam nooit tot een andere conclusie. Het was mijn falen als ouder, maar tot op de dag van vandaag leek haar slaan me de enige logische reactie op haar gedrag. Hier in de wachtkamer van het ziekenhuis legde ik mijn hand op haar schouder. 'Als je je vader en zijn vrouw wilt zien, dan nodig je hen uit je op te komen zoeken. Koop vliegtickets voor hen, het kan me niet schelen. Maar zweer nooit, maar dan ook nooit meer met iemand tegen mij samen om vervolgens te verwachten dat ik je zal vergeven omdat ik je moeder ben. Ik ben het zat om je steeds maar weer te vergeven, Nora.'

Het verhaal van de klap was vooral zo toepasselijk omdat Nora nu dezelfde blik van volslagen ongeloof in haar ogen had als toen ze vijftien was, met de rode afdruk van mijn hand nog vers op haar gezicht. 'Ik probeerde je te hélpen,' zei ze. 'Ik belde pappie om je tot rede te brengen. Het is duidelijk dat meneer Cacciamani een gevaarlijke man is, begrijp je dat nu niet? Vind je hem nog steeds geweldig na wat hij mijn vader heeft aangedaan?'

'Nora,' zei ik en ik deed mijn uiterste best om mijn stem niet te laten trillen. 'Ik denk dat het het beste is als je je stiefmoeder gaat troosten, want als ik hierover nog een minuut langer met je door praat zal ik vast iets zeggen wat we later allebei vreselijk zullen vinden.'

Opnieuw de open mond, de ongelovige gekwetstheid. Ik wist zeker dat ik het verkeerd deed. Ik kon het niet helpen. Niet iedere relatie gaat goed. Met Mort was het niet goed gegaan, met Romeo zou het niet goed gaan. Zou het mogelijk zijn dat het niet goed ging met Nora? Kon ik met een dochter ooit zo ver komen dat ik zou zeggen: nu is het genoeg, tot ziens? Alleen de gedachte al maakte dat ik naar haar toe wilde rennen en om vergeving vragen, en ik zou het gedaan hebben als ik de tijd had gehad.

God vergeve me vanwege mijn, ik weet het, kleingeestige verdachtmakingen tegen Romeo's familie, maar toen ze de deur door kwamen kon ik er niets aan doen dat ik aan de *West Side Story* moest denken; de Jets die door de straten van Brooklyn liepen terwijl ze met hun vingers knipten op een manier die hen moest neerzetten als gevaarlijke types. Ze waren met zoveel en ze leken allemaal op elkaar. De vrouwen leken wel zussen en hoewel ik drie van zijn zoons eerder had ontmoet (Tony in Ecuador meegeteld) kon ik de een niet van de ander onderscheiden. Niet dat het net twee-lingen waren, dat niet, ik kon me alleen niet herinneren wie wie was. Mijn enige geluk was dat de oude vrouw er niet bij leek te zijn. Ze kwamen als een blok op me af, een massa, en hoewel ik klaar was om me te verdedigen tegen Lila en No-ra wist ik dat ik me tegen hen absoluut niet kon verweren. Net toen ik dacht dat ze me omver zouden lopen, me zou-den vertrappelen, sloegen ze en masse linksaf en liepen naar de verpleegsterspost. Er werden allerlei vragen gesteld, en-kele stemmen verhieven zich, en toen verdwenen ze tot de laatste man door de dubbele klapdeuren waarop stond: Geen Toegang; alleen verplegend personeel. Dat was het.

Twee minuten later kwam pater Al binnen, hij zag er be-zorgd en opgewonden uit. 'Al,' zei ik en ik gebaarde naar hem.

Ik zag de verwarring op zijn gezicht. Hij probeerde me te plaatsen als kerkganger en toen herinnerde hij het zich. 'Ju-lie, oh, Julie. Is alles goed met je? Ben je gewond geraakt?' Hij gaf me een klopje op mijn hand. Het was zo'n opluch-ting dat iemand me een klopje op mijn hand gaf.

'Nee, alles is prima.'

'En Romeo? Raymond belde me. Hij zei dat er een onge-luk was geweest en hij zei iets over jou.'

Ik kon me voorstellen wat dat iets was, maar Al was een priester en zou het niet vertellen. 'Ik denk dat alles weer goed komt met hem. Misschien heeft hij wat hechtingen nodig, op zijn ergst heeft hij iets gebroken. Hij raakte in gevecht met mijn ex-echtgenoot.'

'Mort? Is Mort in de stad?'

'Ken je hem?'

'Niet persoonlijk, nee, maar ik heb de afgelopen jaren

heel wat over hem gehoord. Ik heb in ieder geval het gevoel dat ik Mort ken.'

'Nou, ze liepen elkaar tegen het lijf.' Ik dacht aan hoe dat moest klinken maar ik besloot het zo te laten.

'En Romeo's kinderen...' Hij keek zenuwachtig om zich heen. 'Zijn ze er al?'

Ik knikte. 'Ze zijn al bij hem. Ik weet niet eens of ze me gezien hebben.'

'Dit wordt vreselijk,' zei hij. 'Het zal wel goed komen met Romeo. Hij heeft wel eens vaker hechtingen gehad. Het was zo'n vechtersbaas toen we op school zaten. Ik dacht dat hij eroverheen was.'

'Dat was waarschijnlijk ook zo. Hij werd geprovoceerd.'

'Dat houden we onder ons.' Al keek naar de deuren. 'Ik moet echt even naar binnen.'

'Wil je iets voor me doen? Laat me even weten hoe het met hem gaat. Zeg hem dat ik hier zit. Ik weet dat ze me niet bij hem zullen laten, maar ik wil niet dat hij denkt dat ik gewoon ben weggegaan.'

'Dat weet hij wel.'

Plotseling voelde ik een grote snik in mijn borst opwellen en hij kwam er al half uit voordat ik tijd had hem te onderdrukken. 'Ik ben bereid hem op te geven. Het is niet mijn bedoeling zo melodramatisch te klinken, maar ik kan niet langer doorgaan hem problemen te bezorgen bij zijn familie. Ik wil alleen wat het beste voor hem is, dat weet je toch?'

Al nam me in zijn armen en liet me een ogenblikje tegen zijn zwarte hemd aan snotteren. Gloria zou hetzelfde gedaan hebben als ze niet thuis bij de kinderen had gezeten. Ik vermande me en haalde mijn handen langs mijn ogen. 'Ga maar,' zei ik. 'Het gaat alweer.'

Al knikte en glimlachte naar me, toen liep hij door de deuren zonder de verpleegster om toestemming te vragen.

Vervolgens kwam Sandy. Het begon te lijken op een afschuwelijke aflevering van *Dit is uw leven*. Ik had het gevoel

173

dat als ik daar lang genoeg zou blijven staan, mijn juf uit de derde klas door de schuifdeuren aan zou komen. 'Ik heb altijd wel gedacht dat Julie Roseman problemen zou veroorzaken,' zei ze.

'Hoe is het met pap?' vroeg Sandy me. Ze zag er bijzonder slonzig uit en ik vroeg me af of ze in de tuin had gewerkt. Er zat modder op de knieën van haar spijkerbroek.

'Ik weet het niet. Nora en Lila zijn nu bij hem. Ik vrees dat ik bij beide partijen persona non grata ben. Er is nog niemand gekomen om mij iets te vertellen.'

'Heb je het gevraagd?'

Daar was niet bepaald tijd voor geweest. 'Ik ben hier gewoon blijven staan. Ik weet niet eens wat ik doe.'

Sandy, nooit het soort meisje dat de leiding nam, liep naar de verpleegster en vroeg naar de toestand van Mort Roth en Romeo Cacciamani.

'Bent u familie?' vroeg de verpleegster. Ze had al heel wat familieleden gezien.

Sandy zei ja.

'Van wie.'

'Van beide,' zei Sandy gebiedend. 'Roth is mijn vader en Cacciamani is mijn oom.'

'Zijn ze familie van elkaar?'

'Aangetrouwd,' zei Sandy. 'Geen bloedverwanten. Ze haten elkaar.'

'Dat is duidelijk,' zei de verpleegster. Ze bladerde door wat papieren en knikte toen. 'Een ogenblikje.' Ze pakte de telefoon.

'Ga jij maar naar je vader,' zei ik. 'Ik blijf wel wachten.'

'Gaat hij dood?'

'Uiteindelijk wel, ja, maar niet door iets wat vandaag is gebeurd.'

'Dan blijf ik even bij jou wachten. Lila en Nora zijn bij pap. Dat is al een huis vol.'

Ik wilde haar kussen. Ik kuste haar. 'Hoe gaat het met de kinderen?'

'Hun leven is een feest. Ze konden hun geluk niet op dat Gloria zou komen oppassen. Ze zou met ze gaan winkelen.'

'Heb je ze over Mort verteld?'

'Ik vond dat ik eerst moest weten wat er aan de hand was. Ik hoef ze niet zoveel te vertellen.'

'Oké,' zei de verpleegster, ze legde de telefoon neer en maakte wat aantekeningen op een blocnote waar 'Prozac' op stond. Ik vroeg me af of ik daar wat van kon krijgen. Ze keek naar mij. 'U bent de ex-vrouw streepje vriendin, klopt dat?'

'Dat klopt.'

'Wat maakt het ook uit. Het is toch niets ernstigs. Beide partijen hebben behoorlijk wat blauwe plekken. Roth heeft waarschijnlijk een hersenschudding en twee gebroken ribben. Ze houden hem een nachtje ter observatie, maar morgen mag hij waarschijnlijk met een knallende koppijn naar huis. Cacciamani heeft achttien hechtingen, een gebroken rechterpols, ze hebben niet gezegd welke botten, en, heel toevallig, twee gebroken ribben. Over een uurtje mag hij weg.' Ze keek ons alletwee doordringend aan. 'Heeft een van die knapen jullie aangeraakt?'

'Absoluut niet,' zei Sandy. 'Ik zweer het.'

'Hou ze maar in de gaten.'

Sandy en ik beloofden dat te doen en toen gingen we ieder op een stoel zitten. 'Wat een dag,' zei ik. 'Wat een vreselijk afschuwelijke dag.'

'Wil je me vertellen wat er is gebeurd?'

'Niet echt.'

'Ik begon hem net een beetje aardig te vinden, in ieder geval aan hem te wennen.'

'Romeo?'

Sandy knikte.

'Dat is heel mooi. Ik geef hem op. Dit is genoeg. Niemand zit hier op te wachten.' Ik wees naar de deur. 'Ga maar kijken of je vader wakker is. Als het zo is, zeg hem dan dat ik hoop dat alles goed met hem is.'

Sandy stond uit de stoel op. 'Ik ben zo weer terug.'

'Doe maar rustig aan,' zei ik. 'Ik ga nergens heen.'

Ik had gedacht dat ik vreselijk gespannen was, maar eigenlijk was ik zo moe dat ik erover dacht me op de stoelen uit te strekken en in coma te glijden. Ik hoopte dat ze me over een paar dagen zouden opmerken en me een kamer zouden geven, me aan een lekker glucose-infuus zouden koppelen. Ik kon me niet voorstellen weer aan het werk te gaan en ik kon me niet voorstellen dat ik naar huis ging. Het ziekenhuis leek me een prima plek om mijn tenten op te slaan.

Er liep een mooi elfachtig meisje met lang zwart haar en een donkerpaarse sjaal enkele malen om haar hals geslagen door de wachtkamer te dwalen. Ze bleef bij mensen staan en stelde hen een vraag die ik niet kon horen. Ze schudden hun hoofd en ze liep naar de volgende groep. Ze leek op de zigeunerprinses die in films over zigeunerprinsessen voorkomt. Ze had van die grote, droevige ogen en een bijzondere houding. Toen ze in mijn richting kwam bleef ik naar haar staren alsof dit een film was.

'Mevrouw Roseman?' vroeg ze.

Ik keek haar aan en knipperde instemmend met mijn ogen.

'Ik ben Patience Cacciamani.'

'Plummy?'

Ze knikte. Ze droeg kleine gouden ringen om al haar vingers en in een van haar oren zaten drie gaatjes. Het stond haar prachtig. Het was gemakkelijk je haar voor te stellen als een fresco in een kathedraal of een marmeren beeld in het Gardner Museum.

'Mijn vader wilde dat ik u liet weten dat het goed met hem gaat. Hij stuurde iedereen de gang in om met mij alleen te praten. Hij wil weten of het goed met u gaat.' Ze keek me een minuut strak aan maar ik wist niet zeker wat ik moest zeggen. 'Gaat het goed met u?'

Ik kon niet begrijpen waarom ze tegen me sprak. Dat was zo verwarrend dat ik haar nauwelijks kon verstaan. 'Het gaat prima.'

Ze ging in Sandy's stoel zitten. 'U ziet er niet zo geweldig uit, als u het mij niet kwalijk neemt.'

'Ik neem het je helemaal niet kwalijk.'

'Het is gek dat we elkaar op deze manier moeten ontmoeten. Ik wilde u ontmoeten maar ik had nooit gedacht dat het zo zou zijn.'

'Wilde je me ontmoeten?'

'Natuurlijk,' zei ze. 'Mijn vader is gek op u.'

'Maar je broers dan?'

Ze wapperde met haar hand, een gebaar dat ze van haar vader had overgenomen.

'Ze zijn gek. Niet gek, eigenlijk. Het zijn stuk voor stuk goeie jongens maar als ze samen zijn dan is het net, ik weet het niet, een kudde elanden of zoiets.'

Ik moest er om glimlachen.

'Ze zullen u niets doen, maar ze lijken wel een hekel aan u te hebben. Ik wil niet onbeleefd zijn maar ik vind dat we eerlijk met elkaar moeten kunnen praten.'

Ik begreep niet hoe dit kind aan zoveel zelfvertrouwen kwam. Het maakte dat ik nog een paar gaatjes in mijn oren wilde laten prikken. 'Ik ben het met je eens. Absoluut. Vertel me over je vader.'

Ze staarde naar het midden van de wachtkamer alsof ze probeerde hem voor de geest te halen om met zo volledig en neutraal mogelijke precisie verslag uit te brengen. 'Hij heeft hier hechtingen,' zei ze en ze trok met haar vinger een lijn over haar eigen slaap. Ik zag de bloempot weer doel raken. 'En hier.' Ze raakte haar lip aan. 'Hij heeft zijn rechterpols gebroken, een klein botje maar, en twee ribben.' Ze legde een hand onder haar borst en drukte tegen haar ribben. 'Het moet een vreselijk gevecht zijn geweest.'

'Inderdaad.'

'Hoe gaat het met die andere knaap, uw ex?'

'Ik hoorde dat hij een hersenschudding heeft. Ze houden hem een nachtje hier.'

'Dat is goed. Ik bedoel niet dat het goed is dat hij gewond is, maar op deze manier kunnen alle jongens zeggen dat pap gewonnen heeft. Pap hoeft geen nachtje te blijven.'

'Mooi zo.'

'Ik kan niet goed begrijpen waarom mannen de behoefte hebben elkaar te slaan. Het is gewoon iets dat vrouwen niet doen.'

Ik knikte.

'Mijn familie heeft een vreselijk probleem met jouw familie. En ik weet bij God niet waarom.'

'Dat geldt ook voor mij.'

'Nou, u en pap vinden elkaar aardig. Dat is een goed begin, vindt u niet?'

'Dat vond ik,' zei ik. 'Maar nu vind ik het allemaal wat verwarrend.'

Ze knikte en glimlachte droevig naar me zoals de beelden van Maria die je overal in deze stad ziet. 'Dat begrijp ik.' Ze keek naar de dubbele deuren en zuchtte. 'Ik denk dat ik terug moet. Ze zullen hem zo wel laten gaan. We moeten onze auto's naar de achteringang rijden om hem op te halen. Ik vond het heel leuk om u te ontmoeten.'

'Ik ook. Zeg je tegen je vader dat ik hoop dat alles goed met hem gaat?'

'Ik zal het hem zeggen,' zei ze. Plummy boog zich naar me toe. Eerst dacht ik dat ze me zou kussen, maar ze streelde mijn wang met de rug van haar hand. 'U moet even gaan rusten.'

Ze was nog geen twee stappen bij me vandaan toen haar enorme familie de wachtkamer binnenstroomde.

'Plummy!' schreeuwde de grootste zoon. 'Kom voor de donder bij haar vandaan.'

'Hou je kop, Joe,' zei Plummy zonder haar stem te verheffen.

Ze kwamen op een kluitje naar me toe.

'Ik dacht dat ik het u duidelijk had gemaakt,' zei Joe en hij wees in mijn richting. Zijn gezicht was rood en hij ademde zwaar. Ik dacht, als hij een hartaanval krijgt zal dat ook mijn schuld zijn.

'Joe,' zei Plummy. 'Wil je dat ik pap haal? Wil je dat ik hem hier naartoe rijd zodat hij kan zien hoe jij tegen mevrouw Roseman praat?'

'Hou je kop,' zei hij tegen zijn zus.

Ze liep naar hem toe. Ze was groter dan ik me eerst had gerealiseerd. Ze duwde haar gezicht vlak tegen het zijne. 'Nee, jij moet je kop houden, Joseph.' Ze sprak zacht. 'De mensen kijken naar je. Ze zullen je het ziekenhuis uitgooien. Laat mevrouw Roseman met rust, oké? Dat moest ik van pap zeggen. Laat haar met rust of anders vertel ik het hem.'

Ik wilde dat ik dat meisje was. Op mijn zestigste had ik nog geen grammetje van haar zelfvertrouwen bezeten.

Joe keek nog een keer naar me en vuurde toen nog één schot af. 'U bent er geweest.'

Hij en zijn meute trokken zich terug.

Plummy keek me aan en haalde haar schouders op. 'Vergeet hem.' Ze vormde de woorden geluidloos met haar lippen. Toen voegde ze er met opgewekte stem aan toe: 'Dag, mevrouw Roseman.' Ze voegde zich bij haar familie en volgde hen naarbuiten.

17

Het was een onzekere tijd voor mijn familie. De dingen die in het ziekenhuis waren gezegd werden terzijde geschoven. De volgende middag, toen Mort uit het ziekenhuis kwam en terugging naar Nora, was er een stilzwijgende afspraak dat we allemaal aardig zouden doen. Vanwege Mort en vanwege zijn vreselijke hoofdpijn zou er geen spanning, geen geruzie tussen ons zijn. Zelfs als we niet bij hem in de buurt waren maakten we geen ruzie, als blijk van onze dankbaarheid dat het allemaal niet slechter was afgelopen. Maar we begrepen allemaal dat deze regeling een piramide van kristallen glazen was die balanceerde op een paar ragfijne spinnenwebdraden. Iedereen bewoog zich langzaam en overdreven beleefd. 'Wil je een kop koffie, Julie?' vroeg Lila. 'Ik kan wel even koffiezetten. Het is geen moeite.'

'Nee hoor, maar evengoed bedankt.' Ik stond bij de voordeur van Nora's huis met een ovenschotel balancerend op mijn handpalmen. Macaroni met kaas. Vier soorten kaas. Mijn moeders geheime recept. Morts absolute lievelingsgerecht. Ik wist zeker dat het in de vuilnisbak zou belanden voordat ik mijn auto kon starten.

'Wil je niet binnenkomen om Mort gedag te zeggen?' Het klonk alsof ze de uitnodiging zong. 'Wil je niet binnen-ko-o-o-men-n-n om gedag te zeg-g-e-e-en-n-n-n?'

Eigenlijk wilde ik Mort niet zien. Ik weet niet precies waarom. Misschien was het omdat ik het gevoel had dat sinds het gevecht alles was veranderd en ik me afvroeg of hij dat gevoel ook had. 'Laat hem maar rusten,' zei ik, wat beleefd was om te zeggen, ik wist dat Lila dit wilde horen. 'Als hij me later nog wil spreken kom ik graag langs. Hoe gaat het met hem?'

'O, de dokter zegt dat het prima gaat. Als dit voorbij is zal hij niet eens meer weten dat het is gebeurd. De zwelling in zijn gezicht is behoorlijk verminderd. Eigenlijk heeft hij alleen nog last van zijn ribben. Hij heeft nog wat pijn. We gaan waarschijnlijk snel naar huis.'

Ze glimlachte naar me hoewel er niemand was die het kon zien. Ik glimlachte terug. Zo aardig waren we.

'Moeder?' riep Nora. 'Ben jij dat?'

'Ik kom alleen even een ovenschotel brengen.'

'Wat lief van je. Wil je niet even binnenkomen?' Nora droeg een glanzend zwarte legging en een gestreken wit T-shirt. Ze stond op het punt naar Pilates-les te gaan.

'Ik moet naar mijn werk. Zeg maar tegen Mort dat ik hoop dat hij zich beter voelt.' Let op, ik zei 'Mort' niet 'je vader' om Lila niet het gevoel te geven buitengesloten te worden. Ik liep de stoep af, draaide me om en zwaaide. Nora en Lila stonden bij de deur, ze zwaaiden terug. Wat een mooi stel Stepford Vrouwen[*] waren we.

Ik had Romeo de hele week niet gesproken. Ik stuurde hem een beterschapskaart, maar of hij hem had gekregen kwam ik nooit te weten. Hij stuurde mij een briefje dat hij zou bellen zodra de storm was gaan liggen. Maar dit was een bijzondere storm. Hij raasde en gierde 365 dagen per jaar. Eigenlijk ging hij nooit liggen, zelfs geen minuutje. Elke dag kwam er weer een briefje van hem, waarin hij schreef dat hij van me hield, dat hij me miste, dat hij heel goed werd in brieven schrijven naar mij. Ik zat op mijn bed en las ze om vervolgens mijn ogen rood te huilen. Ik verpestte zijn leven, verscheurde zijn familie en door mij kreeg hij een pak slaag en dat waren dingen die je niemand aandeed, zeker niet als je zoveel van iemand hield als ik van Romeo. We

[*] *Stepford wives* is een thriller van Ira Levin, het begrip Stepford vrouwen verwijst naar de perfecte, altijd glimlachende (huis)vrouwen uit dit verhaal.

wisten allebei dat we het beste uit elkaar konden gaan en voor één keer in mijn leven zou ik doen wat het beste was.

Ik praatte niet over Romeo, hoewel ik aan niets anders dacht. Het zou in strijd zijn geweest met het Akkoord van Génève wat betreft Goed Gedrag. Thuis was Sandy zo aardig voor me dat je gedacht zou hebben dat ik dodelijk ziek was. Ze werkte harder in de winkel, harder in huis, harder op school. Ze regelde kinderoppas en liet volledige maaltijden in de koelkast achter. 's Avonds nam ze Tony en Sarah mee naar Mort en al haar verslagen waren gunstig. 'Hij ziet er fantastisch uit,' zei ze. 'Je kunt nauwelijks zien dat er iets met hem gebeurd is.'

Ik stelde me voor dat hetzelfde voor Romeo gold. Ik stelde me voor dat iedereen weer normaal werd, behalve ik.

Gloria hielp overal een handje mee, thuis, op het werk. Ze had wat nieuwe kleding gekocht waarvan ze dacht dat die goed zou staan in een bloemenzaak, een aansnoerbroek van natuurlijke hennepvezel en wijde linnen jasjes met een koolroos-print. Ze leek meer op een bloemiste dan ik ooit had gedaan. De avond van de vechtpartij was ze met haar set reservesleutels de winkel binnengegaan en had er alles opgeruimd. Ze veegde al het bewijsmateriaal in plastic vuilniszakken en bracht die naar de vuilnisbelt.

'Je kunt niet zo voor me blijven werken,' zei ik. 'Het is te veel van het goede.'

'Ik vind het leuk,' zei ze. 'Ik heb niet meer gewerkt sinds Buzz en ik getrouwd zijn.' Buzz had een verzekeringsmaatschappij.

'Maar er is niets met me aan de hand. Iedereen doet alsof ik in het ziekenhuis heb gelegen.'

'Nou, formeel gezien was je in het ziekenhuis. De wachtkamer is in het ziekenhuis. Dat gaat je niet in je koude kleren zitten.' Ze zette haar emmer met gipskruid neer. 'Julie, je moet hem bellen. Je moet dit recht zetten.'

'Er is niets recht te zetten,' zei ik. 'Helemaal niets.'

'Hij houdt van je.'

'Ik ben zijn leven aan het verwoesten. Dat wil ik niet meer.'

En dus liep ik verder door de mist. Ik dacht zo vaak aan dingen waar ik niet aan moest denken dat het me volledig ontging wat er om me heen gebeurde. Het was Gloria die mijn aandacht er enkele dagen later op vestigde.

'Julie?'

'Hmmm?'

'Er zijn geen bloemen.'

'Hmmm?'

'Tja, weet je, dit is een bloemenwinkel, mensen komen hier om bloemen te kopen, maar er worden geen bloemen meer gebracht. Ze worden goed verkocht maar ze worden niet meer geleverd.'

'Wat?'

Ze legde haar handen op mijn schouders en draaide me om zodat ik haar recht aankeek. *'Er zijn geen bloemen meer.'*

Ik snoof de lucht op. Met een paar keer diep snuiven kon ik behoorlijk goed inventariseren. Gloria had gelijk. We hadden nog slechts een paar anjers, enkele bladvarens en een emmer gladiolen van eigen grond. 'O, mijn god.'

'Ik wilde het je niet vertellen. Ik dacht steeds dat je het wel zou merken. Ik dacht dat ze wel zouden komen.'

Ik dacht aan Mort. Ga opbellen, schreeuw tegen iemand. Ik rende langs Gloria en ging aan mijn bureau zitten. Ik belde het eerste het beste nummer maar er was niemand tegen wie ik kon schreeuwen. De receptioniste zette me in de wacht en liet me daar vijftien minuten staan. Toen ik weer belde, zette ze me opnieuw in de wacht. Toen ik een derde keer opbelde gooide ze de hoorn op de haak. Mijn tweede leverancier was in ieder geval zo beleefd me te vertellen dat mijn rekening was geblokkeerd voordat hij ophing. Ik belde mensen van wie ik bij speciale gelegenheden gebruikmaakte en kreeg te horen dat ze niet langer bloemen leverden bij mij in de buurt. Ik belde mensen van wie ik nog nooit gebruik had gemaakt en kreeg te horen dat ze geen nieuwe klanten meer aannamen. Ik belde om mijn bestelling van duizend gardenia's voor de bruiloft van volgende week zaterdag te bevestigen en kreeg te horen dat die bestelling nergens genoteerd stond. Overal waar ik belde stootte ik mijn neus en ik voelde de muren steeds dichter op me af komen.

'Hoe erg is het?' vroeg Gloria.

'Heel erg.'

'Heel erg zoals een puinhoop of heel erg zoals Cacciamani?'

'Het laatste.'

'Je moet hem bellen,' zei Gloria. 'Ik bel hem wel. Hij zou dit niet met je laten gebeuren. Hij weet er niets van.'

'Je hebt vast gelijk,' zei ik. 'Maar Romeo heeft dit niet gedaan en hij zal het ook niet ongedaan kunnen maken. Joe heeft een transportbedrijf. Hij heeft tot aan Idaho overal een vinger in de pap.' Ik gooide mijn potlood op tafel. 'Ik ben geruïneerd,' zei ik. 'Zo eenvoudig is het.'

'Nee,' zei Gloria. Ze had tranen in haar ogen. Het kwam hard aan bij haar, net zoals het bij mij hard zou aankomen als ik eenmaal in staat was te begrijpen wat er gebeurd was. 'Je moet vechten.'

'Ik kan niet vechten,' zei ik. 'Ik kan niet blijven vechten. Ik heb verloren. Ik heb genoeg verpest in mijn eentje. Dit is gewoon het resultaat van mijn werk.'

Gloria ging op de grond zitten en stak haar hoofd tussen haar knieën. 'Ik denk dat ik moet overgeven.'

'Dan zijn we met zijn tweeën.'

Ik hing een bordje voor de deur. 'Wegens vakantie gesloten'. Ik moest iets verzinnen. Ik had nooit eerder de winkel gesloten wegens vakantie. Toen liet ik een telefonische boodschap achter voor de bruid van de gardenia's. Arme, arme bruid.

Ik wilde bij thuiskomst aan Sandy vertellen wat er gebeurd was, maar ze stond op het punt met de kinderen naar Nora te gaan toen ik binnenkwam. 'Het gaat heel goed met pap,' zei ze. 'Lila en hij gaan morgen naar huis. Ik ga even langs om afscheid te nemen. Wil je mee? Ik weet dat hij het leuk zou vinden je te zien. Hij heeft al zo vaak naar je gevraagd.'

Morgen was het zondag. Ik hoefde haar nu niet over de winkel te vertellen. 'Ik denk het niet, lieverd. Ik kan maar beter hier blijven.'

'Kom met ons mee,' zei Sarah en ze stak haar armpjes uit om opgetild te worden. Ze had geen zin om ergens heen te lopen. Ik tilde haar op.

'Zeg jij maar dag tegen hem voor mij, oké?'

'Je zou wel meegaan als Lila er niet was,' zei Tony.

'Waarschijnlijk niet. Ik ben heel erg moe vanavond.' Ik kuste de kinderen en hielp ze in hun regenjacks. 'Sandy, vraag of Nora morgen als ze van het vliegveld naar huis rijdt even langs komt. Ik wil even met haar praten.'

'Weer een familievergadering?' vroeg Sandy wantrouwend.

'Niet precies. Ik vind gewoon dat ik een beetje het contact met haar aan het verliezen ben. Vraag of ze 's morgens langs komt als je wilt.'

Toen ze vertrokken waren maakte ik een zak popcorn in de magnetron als avondeten. Ik ging met mijn benen gekruist boven op het aanrecht zitten, stak de bolletjes een voor een in mijn mond en spoelde ze weg met een fles witte wijn. Toen alles op was ging ik naar bed en viel in slaap.

Het was al tien uur geweest toen de telefoon ging en heel even was ik vol hoop. Maar het was Mort.

'Jules? Versta je me?'

'Ja,' zei ik. 'Waarom fluister je?'

'Sandy en de kinderen zijn net vertrokken en iedereen gaat naar bed. Ik ben in de keuken. Ik zei tegen Lila dat ik een glas melk wilde drinken.'

'Je haat melk.'

'Dat weet zij niet. Hoor eens, Julie, het spijt me dat ik geen afscheid van je heb kunnen nemen. We lijken nooit iets goed te kunnen beëindigen.'

'Ja, nou, ik wilde zeggen dat het me spijt van je hoofd. Ik denk dat het grotendeels je eigen schuld was, maar ik weet dat het zonder mij niet gebeurd zou zijn.'

'Ik gooide de pot naar hem.'

Ik was zo verbijsterd dat ik stil viel. Wat hij zei klonk bijna als een bekentenis en dat was niet Morts stijl.

'Ben je daar nog?' vroeg hij.

'Ja.'

'Ik heb gewoon veel tijd gehad om na te denken, ondanks mijn zere hoofd en zo. Sinds mijn galblaasoperatie heb ik niet meer zoveel tijd gehad.'

'En wat heb je bedacht?'

Nu was Mort stil, maar ik lag in het donker in bed. Ik vond het niet erg om te wachten. 'Het was leuk om terug te zijn. Ik vond het leuk om de meiden zoveel te zien, om Tony en Sarah te zien. Jij hebt ze de hele tijd, misschien valt het je niet eens op, maar ze zijn geweldig.'

'Het was me wel opgevallen.'

'Ik dacht gewoon dat als tussen ons alles beter was, het gemakkelijker zou zijn om hen op te komen zoeken. We hoeven niet de hele tijd zo'n ruzie te maken, vind je wel?'

Ik zei hem dat ik ook vond van niet.

'Dat is geweldig, Jules. Je bent een kanjer. En dat Caccia-mani-gedoe...'

'Begin daar nou niet over.'

'Nee, ik moet het zeggen. Ik vind die vent een klojo, maar ik begrijp dat het jouw zaken zijn. We hebben allemaal het recht om ons eigen leven te vergooien, toch?'

Sandy moet op hem hebben ingepraat in zijn verzwakte toestand. Het klonk als de soort logica die zij gebruikte.

'Maak je geen zorgen, Mort. Romeo en ik zijn verleden tijd. Niemand komt terug na zo'n gevecht.'

'Ik wel,' zei Mort.

'Nou, jij bent taaier dan wij.' Beneden hoorde ik Sandy en de kinderen via de achterdeur binnenkomen.

'Sst, zachtjes doen,' zei Sandy. 'We mogen oma niet wakker maken.'

'Nog even over de winkel,' zei hij en ik voelde mijn hart in mijn borst bevriezen. 'Ik heb heel wat gedaan voor we begonnen te vechten, maar je moet naar een accountant gaan. Ik betaal het wel. Ik weet dat je dat niet wilt maar ik geef veel om die winkel. Ik wil hem niet ten onder zien gaan omdat jij niet weet wat je doet.'

Mijn ogen sprongen vol met tranen. Mort zou later de waarheid wel te horen krijgen van een van de meiden. Wat vanavond betreft, laat hem maar lekker gaan slapen, laat hem maar denken dat Romeo niet de slechtste was, laat hem morgen op het vliegtuig naar Seattle stappen. 'Oké,' zei ik. Ik was vergeten de rolgordijnen voor de ramen te laten zakken en nu kon ik de maan op de tere voorjaarsblaadjes van de bomen zien schijnen. Het was prachtig.

'Ik wil niet zeggen dat je het slecht hebt gedaan. Je hebt de zaak drijvende gehouden. En de bloemen zien er prachtig uit. Het is alleen de boekhouding.'

'Ik begrijp het.'

'Ik moet ophangen,' zei hij. 'Straks ontdekken ze me. Ze houden me vreselijk in de gaten. Je zou denken dat ik een ouwe vent was.'

Toen stroomden de tranen over mijn wangen. 'Welterusten, Mort,' zei ik.

'Welterusten, Jules.'

Toen ik mijn ogen opendeed en op de klok keek was het half elf 's morgens en de kamer was helverlicht. Ik had sinds de middelbare school niet meer tot half elf geslapen. Ik draaide me om en keek op mijn horloge dat op het nachtkastje lag, in de veronderstelling dat de klok niet goed liep, maar dat was niet het geval. Ik stond op, poetste mijn tanden en trok mijn kleren aan. Het was zondagochtend en de kinderen zaten beneden naar tekenfilms te kijken.

'We hebben het geluid zacht gezet,' zei Tony. 'Je sliep nog.'

Ik zwaaide naar hen en liep naar de keuken. Nora zat daar aan tafel met Sandy, ze dronken koffie en zaten te praten.

'God, wat heb ik lang geslapen.' Ik wreef met mijn handen over mijn gezicht. 'Het spijt me dat ik jullie heb laten wachten. Jullie hadden me wakker moeten maken.'

Nora schudde haar hoofd. Ze zag er zo blij uit, alsof het verleden echt iets was dat vergeten kon worden. Misschien was ze gewoon blij dat ze haar gasten kwijt was. 'Ik kom net van het vliegveld. Bovendien had je je rust nodig.'

'Zijn Lila en je vader veilig vertrokken?' Ik schonk een kop koffie voor mezelf in en ging bij hen zitten.

'Alles ging gesmeerd. Pap stond er zelfs op om zijn eigen koffer te dragen.'

'Mooi,' zei ik. 'Dat is mooi.'

'Dus nu wordt het leven weer normaal,' zei Nora. Ze stak haar hand uit en gaf me een heel ongebruikelijk kneepje in mijn pols.

Ik keek naar mijn beide meiden, slimme en aantrekkelijke meiden, meiden van wie ik hield ook al werd ik gek van ze. Ik wilde ze in mijn gedachten bewaren tijdens dit laatste vredige moment dat ik voorlopig zou hebben. 'Niet helemaal.'

Ze zetten alletwee hun koffiekopje neer. Ze tikten tegelijkertijd op de tafel. 'Ik wist het wel,' zei Sandy.

'Het is de winkel.' Ik sprak langzaam omdat ik mezelf niet wilde herhalen. ' Om te beginnen waren er al een heleboel problemen.'

'Wat is er gebeurd?' vroeg Sandy. De vier woorden waren

als grote stenen die van een gebouw naar beneden werden gegooid.

'Al onze bloemenleveranties zijn stopgezet. Ik heb alle leveranciers die ik maar kon bedenken gebeld. Niemand wil ons nog leveren.'

'Hoe is dat mogelijk?' vroeg Nora.

'Cacciamani,' zei Sandy. 'Ze hebben ons geruïneerd. Dat is het, toch? Ze hebben ons buitenspel gezet.'

'Ik weet niet of dat zo is,' zei ik.

'Maar het is wel zo, of niet soms?' Sandy stond van tafel op en deed de keukendeur dicht zodat Tony en Sarah ons niet zouden horen. 'Je weet wat er gebeurd is. Je kunt het wel raden.'

'Ik kan het raden.'

Dit had ik niet verwacht. Sandy leek in staat de keukentafel door het raam te gooien maar Nora bleef gewoon in haar koffiekopje zitten staren. 'We vinden er wel wat op,' zei Sandy. 'Ze krijgen ons er niet onder. Het kan me niet schelen al moet ik elke ochtend naar New Hampshire rijden om zelf bloemen te halen. Ze krijgen ons niet zover dat we de zaak sluiten.'

'Ik weet het niet,' zei ik.

'Ik wel!' zei Sandy en ze sloeg met haar vuist op tafel. 'Verdomme, moeder, wordt wakker. Je zult de strijd moeten aangaan.'

'We hoeven de strijd niet aan te gaan,' zei Nora en ze nam een slokje van haar koffie. 'We hebben al gewonnen.'

Sandy zweeg en keek naar haar zus. Ze streek haar haar achter haar oren.

'Hoezo hebben we gewonnen?' vroeg ik.

Nora zag er niet zelfingenomen uit. Dat moet ik haar nageven. Ze klonk helemaal niet triomfantelijk. Ze legde gewoon de feiten op tafel zoals ze gedaan zou hebben bij iedere andere zaak. Ze was een invloedrijke zakenvrouw, mijn oudste dochter. Dat vergat ik wel eens. 'Ik heb het gebouw waarin Romeo zit gekocht. Ik heb wat onderzoek verricht. Het bleek dat ze de winkel nooit in eigendom hebben gehad. Ze hebben hem al die jaren gehuurd. Ze hadden een geweldig contract. Een ouderwets Somerville-contract waarbij de eigenaar vergeten leek te zijn dat zij er zaten, en de huur nooit verhoogd werd.'

'Heb jij het gebouw gekocht?' vroeg Sandy terwijl ze ging zitten.

'Ik heb ze gisteren een uitzettingsbevel gestuurd. Ze hebben twee weken de tijd om te vertrekken. Ik denk dat ze waarschijnlijk nooit iets hebben gespaard. Daar zijn er te veel kinderen voor. Ze zullen nooit een andere plek kunnen vinden voor dit geld. Ze zullen struikelen, ze zullen vallen en nooit meer overeind komen.'

'Jezus,' zei Sandy en ze leunde achterover in haar stoel. 'Ik hoop dat je nooit zo kwaad op mij zult zijn.'

'Zaken zijn zaken,' zei Nora.

Ik luisterde naar haar voorspellingen. Het verbaasde me dat ik niet boos was op Nora. Ik moest eerlijk zijn. Als ik de redenering achter Joe Cacciamani's pogingen om mij te vernietigen kon zien, dan moest ik ook in staat zijn de logica achter Nora's aanval op Romeo te begrijpen. Zover was het gekomen. Dit was wie we waren.

'Kom mee,' zei ik. 'Haal de kinderen en stap in de auto.'

'Waar gaan we heen?' vroeg Sandy.

'Naar de Cacciamani's.'

'Ik ga niet,' zei Nora kalm en ze legde beide handen om haar koffiekopje alsof dat haar zou verankeren.

'We gaan samen,' zei ik. 'Met zijn allen. Dit is het laatste bevel dat ik je als jouw moeder geef, maar je gaat mee.'

Nora bleef even zitten en dacht erover na. Ik dacht dat er een strijd zou volgen. In plaats daarvan liep ze naar het aanrecht, spoelde haar kopje om en droogde haar handen af. 'Goed,' zei ze.

'Waarom moeten we mee?' vroeg Tony vanuit de andere kamer.

'Omdat er geen volwassenen zijn om op je te passen,' zei Sandy.

'Wie zijn die mensen ook weer?'

'Vrienden van oma,' zei ze. 'Of zoiets.'

18

Somerville was net als Rome een stad die op zeven heuvels gebouwd was. Ik woonde op Spring Hill. Romeo woonde op Winter Hill. Ik was wel eens eerder bij hem thuis geweest, jaren geleden tijdens dat gedoe met Tony en Sandy. Er waren twee bijeenkomsten geweest, een bij ons thuis en een bij hen. Hij woonde in Marshall Street. Dat herinnerde ik me duidelijk.

'Wat ga je zeggen?' vroeg Nora. Haar auto stond achter de mijne geparkeerd, dus zij reed en ik zat naast haar om aanwijzingen te geven. Sandy en Tony en Sarah zaten achterin.

'Ik wil ze gewoon zeggen dat het afgelopen moet zijn. Alle ruzie's, alle dwarszitterij. De familie Roseman doet vanaf heden officieel niet meer mee.'

'En het gebouw?' vroeg Nora. 'De koop is gesloten. Ik kan het niet meer teruggeven.'

'Dan verhuur je het aan hen. Je geeft het aan hen. Ik weet het niet. Bedenk maar wat. Het enige wat ik weet is dat ik wil dat wij een bepaald soort mensen zijn. Ik wil dat wij fatsoenlijke mensen zijn.' Ik had een licht gevoel in mijn borst. In Somerville bloeiden de irissen en pioenrozen in weelderige overvloed. Plotseling voelde alles zo gemakkelijk. Misschien werd onze hartenwens niet vervuld, maar we konden allemaal fatsoenlijke mensen zijn. Dat moest wel het antwoord zijn.

Sandy zat zwijgend op de achterbank. Tony las alle straatnamen voor Sarah op. Sandy moet ook eerder in dit huis zijn geweest. Ze moet er via de achterdeur zijn binnengeglipt, of in het donker door een open raam.

In Marshall Street zei ik tegen Nora dat ze langzamer moest rijden. Ik keek naar alle huizen. 'Het is daar links,' zei Sandy. 'Dat huis met de ballonnen aan de brievenbus.'

'Ballonnen!' zei Sarah. Sarah was gek op ballonnen.

'Misschien verwachtten ze ons,' zei Nora.

Er was absoluut iets aan de hand bij de Cacciamani's. We moesten de hele straat door rijden om een parkeerplaatsje te vinden.

'Kunnen we dit niet later doen?' vroeg Nora. 'Misschien als ze geen feestje hebben?' Ze zette de auto in zijn achteruit en wurmde zich in een krap parkeerplekje.

'We komen nooit meer terug. Je hebt gelijk, de timing is niet geweldig maar ik denk echt dat het nu of nooit is.' Zelfs al verstoorden we iets, we deden het in naam van de vrede. Ze zouden blij zijn om te horen dat ze hun winkel niet kwijt waren. Dat feit alleen al zou onze aanwezigheid op hun feestje neutraliseren.

'Nooit is geen slechte optie,' zei Nora.

'Hebben we een cadeautje?' vroeg Tony.

'Zoiets,' zei Nora en ze opende haar portier. 'Het wordt onroerend goed genoemd.'

Sandy en Nora en ik liepen langzaam de straat in. Tony en Sarah renden steeds weer voor ons uit en kwamen dan weer hard teruggerend.

'Kom nou, kom nou,' schreeuwden ze, met de gedachte dat waar ballonnen waren er meestal ook taart was. Ik bedacht dat we weinig kans hadden op taart.

Het was een dubbel woonhuis met vier wooneenheden. Het was een huis dat was bedoeld om een groot katholiek gezin te huisvesten. Aan een van de deuren hing een bloemenkrans, gemaakt van roze en witte rozen. Hij was zo eenvoudig, zo prachtig mooi dat ik wist dat Romeo hem gemaakt moest hebben. Mijn hart ging als een razende tekeer toen ik hun pad opliep.

'Ik heb hier zo mijn twijfels over,' zei Sandy zachtjes.

'Dank je,' zei Nora.

'Gaan we nog naar binnen of niet?' vroeg Tony. Hij rende vooruit en drukte drie keer op de bel, toen rende hij terug en ging achter ons staan. Door de manier waarop we stokstijf op de stoep bleven staan zou je gedacht hebben dat hij de pin uit een handgranaat had getrokken.

'Moeder,' zei Nora. 'Als je mij probeert te leren verantwoording te nemen voor mijn daden, dan heb ik dat nu geleerd. Draai je samen met mij om en begin als een gek te rennen.'

Ik stond op het punt met haar in te stemmen toen een gebruinde jongeman die ik niet herkende de deur openzwaaide. Hij had een roze hoedje op waarop '90!' stond. Hij had een baard en droeg Birkenstocks, een korte broek en een T-shirt van de Wereldgezondheidsorganisatie. Hij keek ons één seconde aan en slaakte toen iets wat alleen omschreven kan worden als een hoge kreet van bijna onverdraaglijk geluk. Hij rende op Sandy af en sloeg zijn armen om haar middel. Hij draaide haar rond en kuste haar hals. Steeds weer opnieuw zei hij haar naam.

'Kennen we hem?' zei Tony.

'Lang geleden was hij een vriend van je moeder,' zei Nora tegen hem.

Tony Cacciamani zette mijn dochter neer. 'Mijn god,' zei hij. 'Hoe wist je dat ik terug was? Ik ben pas twee uur geleden aangekomen.'

'Ik wist het niet,' zei Sandy. Ze legde haar handen tegen zijn borst. 'Is alles goed met je?'

'Ik maak het prima. Ik voel me geweldig nu. Je ziet er zo mooi uit. Je bent helemaal volwassen.' Hij keek naar de rest van ons. 'Hallo mevrouw Roth, hallo Nora.'

'Hallo, Tony,' zei ik. Ik wist niet eens dat Tony Nora kende. Voor het eerst kwam het bij me op dat mijn oudste dochter mijn jongste dochter moest hebben geholpen bij het plannen van haar afspraakjes.

'En wie zijn jullie?' zei hij tegen Tony en Sarah. 'Zijn die van jou, Nora?'

'Van mij,' zei Sarah. Ze geneerde zich natuurlijk een beetje toen ze hen aan elkaar voorstelde. Toen ze haar zoon Tony Anderson had genoemd, had ze Tony Cacciamani al jaren niet gezien en ze had waarschijnlijk gedacht dat het nooit meer zou gebeuren.

'Hallo,' zei Tony en hij schudde hun handen. Zijn stem klonk nu ernstiger.

'Sandy is al drie jaar gescheiden,' zei Nora. 'Laten we dat er meteen maar bij zeggen.'

Tony werd meteen weer vrolijker en vroeg ons binnen. Voor de verandering was ik blij met Nora's directheid. 'Zijn jullie voor de verjaardag van mijn oma gekomen? Nee maar, er is heel wat veranderd sinds mijn vertrek.'

'Is mevrouw Cacciamani jarig?' vroeg ik.

Tony knikte met zijn roze hoedje en sloeg zijn arm terloops om Sandy's schouder, alsof hij daar altijd gelegen had. 'Vandaag wordt ze negentig.'

De woonkamer was afgeladen met Italianen in feestkleding, ze hadden allemaal roze papieren hoedjes op met '90!' erop. Er stonden tafels vol schalen met broodjes en groenten. Er stond een schaal met bowl die de afmetingen had van een groot aquarium. Er stond een taart met roze en witte laagjes die het hele kaarttafeltje in beslag nam. In de hoek zat een accordeonist 'That's Amore!' te spelen. Het was een geweldig feest. Overal waar ik keek stonden mensen te lachen en te drinken. Niemand leek ons op te merken. Ik ploegde de kamer door op zoek naar Romeo, iedereen die ik passeerde glimlachte naar me en probeerde opzij te schuiven om me meer ruimte te geven. Het waren gewone mensen, fatsoenlijke mensen, net zoals wij.

'Heb je Romeo gezien?' vroeg ik aan een jongetje dat bij de tafel met punch stond.

'Ik denk dat hij in de keuken is,' zei hij en hij wees. 'Die kant op.'

Ik bedankte hem en ploegde verder. Ik was mijn familie in de drukte kwijtgeraakt. Ik wrong me naar de keukendeur.

Plummy en haar vader stonden te worstelen met een zak ijsklontjes die aan elkaar vastgevroren zaten. De beide '90!' op hun hoedjes raakten elkaar. Hij zag er niet bepaald vrolijk uit. Er zat een keurig rijtje hechtingen in zijn voorhoofd en in zijn lip, net zoals Plummy het had beschreven. Om zijn pols zat een gipsverband.

Het was het ogenblik dat ik het meest had gevreesd. Ik was bang dat hij niet blij was me te zien. Ik wachtte op een geschikt moment, het schonk me een droevig genot naar hem te kijken terwijl hij niet wist dat ik er was. Ik vroeg me af of dit de laatste keer was dat ik hem zou zien. 'Romeo,' zei ik.

Maar Romeo keek op en toen hij mij zag viel zijn mond open en heel even leek hij niet te weten of hij moest lachen of huilen. Hij glimlachte naar me op de manier waarop zijn zoon naar Sandy had gelachen. Hij herhaalde steeds weer mijn naam alsof hij de klank ervan wilde horen. Hij kwam naar me toe en drukte me tegen zich aan. Hij kuste me, hield me een stukje van zich af om naar me te kijken en kuste me toen opnieuw. 'Mijn god, waarom ben je hier?'

'Ik moet de dingen recht zetten, met jou, met je familie.' Ik wilde ernstig en moedig zijn. Ik zou voor altijd met hem willen versmelten.

'Ik breng dit even naar de woonkamer,' zei Plummy en ze veegde de ijsklontjes terug in de zak. Ze glimlachte naar me toen ze wegliep. 'Hallo, mevrouw Roseman.'

'Ik ben gek op die meid,' zei ik tegen Romeo. 'Ik heb nog niet de kans gehad dat tegen je te zeggen.'

Hij kuste me voorzichtig vanwege zijn lip. De keukendeur zwaaide dicht, en zwaaide weer open. Twee jongemannen die ik niet kende kwamen binnen. Aan hun gezichten te zien zou je hebben gedacht dat ze ons betrapt hadden bij het ontleden van Junior, de hond van de familie.

'Julie,' zei Romeo enigszins aarzelend. 'Dit zijn mijn zoons. Dit is Alan en dit is Nicky. Nicky is met zijn gezin helemaal uit Duitsland gekomen voor het feestje.'

'Julie Roseman?' zei Nicky. Alan liep de deur weer uit.

Binnen een halve minuut waren ze er allemaal. Ik hoorde Nora's stem boven die van de anderen in de woonkamer uitkomen. Toen waren we allemaal weer terug in de woonkamer en leek iedereen harder te gaan praten. De accordeonist hield halverwege zijn lied op, de laatste noot bleef even in de lucht hangen en vervaagde toen.

'Rosemannen!' hoorde ik de oude vrouw schreeuwen. 'Er zijn Rosemannen in mijn huis!' We waren gemakkelijk te herkennen. Wij waren degenen zonder hoedje.

'O, lieve god,' zei ik. 'Het spijt me, het spijt me.' Ik wendde me tot Romeo. 'Moet je naar me luisteren, dit is zo belangrijk. Anders zou ik nooit zijn gekomen. Ik weet van je winkel, het huurcontract.'

Romeo fronste zijn wenkbrauwen. 'Laten we dit later maar bespreken,' fluisterde hij.

'Wat is er met het huurcontract?' vroeg Raymond.

Ik zocht naar Tony en Sarah. Ik wilde zeker weten dat alles goed met ze was. Ze hadden hoedjes op en pulkten suikerroosjes van de zijkant van de taart met drie andere kinderen die ze als ze groot waren waarschijnlijk zouden haten. Niemand wist dat zij Rosemannen waren. Niemand trok zich iets van hen aan.

'Nora heeft jullie gebouw gekocht.'

'Jouw Nora heeft het gekocht?' vroeg Romeo.

Toen haar naam werd genoemd rechtte Nora haar schouders en kwam naar ons toe lopen. 'Ik ben Nora Bernstein,' zei ze. 'Ik heb het gebouw gekocht.'

'Jij hebt ons eruit gezet?' vroeg Romeo.

'Heeft zij ons eruit gezet?' vroeg Raymond.

'Ik wilde het je na het feestje vertellen,' zei Romeo tegen zijn zoon. 'Ik wist niet wie het gekocht had.'

'Gooi ze mijn huis uit!' gilde de oude vrouw. Ze droeg een blauw broekpak en had een roze hoedje op dat groter was dan dat van alle anderen. Er stond 'Ik ben 90!' bovenop. Ik kon niet geloven dat ze het haar hadden opgezet. Ze stond behoorlijk ver bij me vandaan, hetgeen me wat gemoedsrust gaf.

'Kom mee,' zei Raymond en hij legde een hand op Nora's arm. 'Laten we gaan.' Nora bleef hem strak aankijken tot hij zijn hand weghaalde.

'Ik heb het gekocht omdat ik probeerde mijn moeder te beschermen. Jullie hebben ervoor gezorgd dat ze geen bloemen meer krijgt. Ze is door jullie geruïneerd.' Dit was niet helemaal waar, want Nora had het gebouw gekocht voordat ze van de bloemen wist, maar ik vond dat ze haar waardigheid mocht bewaren.

'Geen bloemen meer?' zei Romeo. 'Waar heb je het over?'

'Daar hoeven we het niet over te hebben,' zei ik tegen Nora.

'Jawel. Je zei zelf dat we open en eerlijk moesten zijn.' Ze draaide zich om naar de menigte en klapte drie keer in haar handen. 'Luister goed, mensen. We gaan een spelletje doen. Het heet Ware Bekentenissen. Ik heb Romeo's bloemenwinkel gekocht en hem eruit gezet. Hij heeft iedere bloemenleverancier in dit gebied opgebeld om ervoor te zorgen dat mijn moeder geen bloemen meer krijgt en haar zaak op de fles gaat.'

De menigte absorbeerde collectief deze informatie.

'Wacht eens even,' zei Romeo. 'Dat heb ik nooit gedaan.'

Joe kwam naar voren gesjokt. Zijn hoedje leek op zijn hoofd nauwelijks groter dan een gevouwen tissue. Ik vroeg me af of hij ooit een overhemd had bezeten dat tot aan de nek toe kon worden dichtgeknoopt. 'Dat heb ik gedaan,' zei hij. 'Zolang ik leef krijgt zij nooit meer een bloem in handen.'

'Heb jij haar geruïneerd?' Romeo liep naar zijn zoon toe. 'Heb jij haar leveranties stopgezet?'

'Je had gelijk, mam,' zei Nora. 'Dit is veel beter zo.'

Ik pakte Romeo's arm. 'Het komt van twee kanten. Daar gaat het juist om. We moeten er nu meteen mee ophouden.'

'Kom mee naar de keuken,' zei Romeo tegen mij en toen riep hij boven de menigte uit: 'Cacciamani's, Rosemannen, naar de keuken. Geen nichten en neven, geen kinderen. Moeder, naar de keuken.'

'Ik ga niet met hen in de keuken zitten,' zei ze.

Maar Nora liep naar haar toe en fluisterde iets in haar oor. De oude vrouw keek woedend maar ze kwam achter ons aan.

'Hoe heb je dat gedaan?' fluisterde ik naar Nora.

'Ik zei dat ze niet in de keuken mocht komen.'

Tony en Sandy zaten er al. Ik weet niet hoe ze dat voor elkaar hadden gekregen. Ze zaten hand in hand aan tafel. Die avond, vijftien jaar geleden, toen hij had geprobeerd haar via het slaapkamerraam mee te nemen, hadden ze op dezelfde manier hand in hand op de bank in onze woonkamer gezeten, doornat van de regen en in tranen. Ze leken verbaasd ons te zien.

'Dat is het meisje! Dat is haar!' zei de oude vrouw. 'Haal haar bij Tony vandaan.'

Romeo hief zijn hand op tegen zijn moeder. 'Rustig aan een beetje. Dus Joe, je hebt achter mijn rug om Roseman geruïneerd?'

'Het was haar eigen schuld.'

'Maak dat je wegkomt,' zei hij.

'Wat?'

'Mijn huis uit.' Romeo stond met gespreide benen en zijn armen gekruist voor zijn borst. Het was een houding die betekende dat het hem ernst was.

Het ging er juist om dat we moesten proberen vrede te sluiten tussen de Cacciamani's en de Rosemannen, geen

moeilijkheden veroorzaken tussen de Cacciamani's onder-
ling. Het laatste wat ik wilde was Romeo scheiden van zijn
schurkachtige oudste zoon. 'Nee,' zei ik. 'Dat kun je niet
doen. We gaan dit oplossen.'

'U hoeft mijn vader niet te vertellen wat hij moet doen,'
zei Joe. Hij stak een vinger naar me uit en ik vroeg me af of
hij zijn grootmoeders neiging tot prikken had geërfd.

'Christenezielen,' zei Nora. 'Hier komt nooit een einde
aan.'

'We moeten er gewoon mee ophouden,' zei ik en mijn
stem klonk een beetje wanhopig. 'We moeten nu eindelijk
eens tot overeenstemming komen. Als jij en ik elkaar niet
meer kunnen zien, dan kan ik dat accepteren maar ik wil
niet als een stelletje gekken leven.'

'Kunnen wij elkaar niet meer zien?' vroeg Romeo. Hij
keek me aan alsof zo'n afschuwelijke oplossing nooit bij hem
opgekomen was. Op dat moment dacht ik dat ik in huilen
zou uitbarsten omdat ik zoveel van hem hield.

'Dat heb je in ieder geval goed begrepen,' zei een van de
zoons, wie weet welke?

Plummy, die een lavendelkleurig jurkje droeg met een
zwart gebreid vestje, klapte in haar handen. Ze was blijkbaar
van plan om orde in de chaos te scheppen. 'Oké,' zei ze.
'We gaan dit nu eindelijk eens tot op de bodem uitzoeken
en dan gaan we weer verder met het feestje.' Ze keek naar
haar broer Tony die breed glimlachte.

'Plummy, dit is Sandy,' zei hij. 'Hallo, Sandy,' zei Plummy en ze leunde voorover om haar een hand te geven. 'Iemand hier moet het verhaal kennen.' Ze beet op haar lip en
keek de kamer rond alsof ze nog niet precies wist tot wie zij
zich het eerst moest richten. Ze keek naar mij, toen naar
mijn dochters, naar haar vader en naar haar broers. 'Oma,'
zei ze ten slotte. 'Hoe zit het nou?'

'De Rosemannen zijn zwijnen,' zei ze.

'Goed, dat is een begin. Waarom zijn de Rosemannen
zwijnen?'

Dat was de vraag. Als je alles tot de kleinste gemene deler terugbracht, waarom waren de Rosemannen dan zwijnen? Waarom waren de Cacciamani's slijmerige vissen? Ik ging er vanuit dat mijn ouders het antwoord wisten, maar zij waren beiden dood. Mort wist het niet. Ik wist het niet.

'Kom op,' zei Plummy.

'Ik ben jarig,' zei de oude vrouw. Ze tilde haar hand op en raakte haar hoedje even aan als om haar woorden kracht bij te zetten. In tegenstelling tot veel van de gasten was zij zo verstandig geweest het elastiekje naar achteren te doen.

'Gefeliciteerd,' zei Plummy. 'Iedereen wil een stukje taart en kijken hoe u uw cadeautjes openmaakt, maar dat gebeurt pas als u hebt opgebiecht.'

'Ik wil nu weg.' Ze probeerde zich zwakjes voor te doen, maar het was niet overtuigend.

'Het spijt me echt,' zei Plummy, op de een of andere manier klonk ze oprecht. 'Maar u mag pas weg als u ons verteld heeft wat er is gebeurd. We hebben allemaal lang genoeg gewacht.' Het was duidelijk dat Plummy Cacciamani degene was die deze wereld regeerde. Ze was zonder twijfel een vriendelijke en bescheiden dictator, maar niettemin een dictator.

'Ik weet niets,' zei ze. 'Je moet die leugenachtige Rosemannen niet geloven.'

'U weet helemaal niets?' vroeg Plummy.

De oude vrouw ontweek haar blik. 'Niets over hen. Wie zou iets over de Rosemannen willen weten?'

Het was niet bepaald een warme dag, maar het werd met de minuut warmer in de keuken. Cacciamani's deden hun uiterste best uit de buurt van Rosemannen te blijven, behalve Tony en Sandy die hun stoelen steeds dichter bij elkaar schoven. Ik stond tegen een oud gasfornuis aangedrukt en hoopte dat niemand het idee zou krijgen het aan te steken.

'En de brieven dan?' vroeg Plummy, alsof dat een mogelijkheid was.

'Welke brieven?'

Plummy zag eruit als het toonbeeld van onschuld. Ze speelde met een van de gouden ringetjes in haar oor. 'De brieven onder uw matras. Die in de roze zijden zakdoek. De brieven die allemaal beginnen met "Mijn Liefste..."'

De oudste Cacciamani draaide zich met vlammende ogen om. Ze stak haar vinger op om te prikken maar Plummy duwde hem zachtjes weg. Iedereen verschoof om zeker te zijn dat ze alles goed konden zien. 'Waarom lees jij mijn brieven?'

'Ik maak uw kamer schoon, oma. Ik draai iedere maand uw matras om. Ik heb nooit eerder gedacht dat het belangrijk was, maar nu wel.'

Ik was erg onder de indruk dat Plummy de matras iedere maand omdraaide. Het lukte mij misschien om het een keer per jaar te doen. Wie verborg nog steeds dingen onder het matras? Ze bewaarde haar geld waarschijnlijk in een sok.

'Daar heb jij niks mee te maken.' Oma Cacciamani hijgde nu een beetje. Haar ogen gleden over het aanrechtblad en ik vroeg me af of ze naar haar harttabletjes zocht.

'Dat weet ik,' zei Plummy kalm. 'Daarom ben ik er nooit eerder over begonnen. Maar nu hebben we een probleem.'

De oude vrouw ademde diep in en dacht even na. Ze leunde tegen de koelkast die vol kindertekeningen hing. Ze leek in het nauw gedreven. 'Ik vertel het je later wel,' zei ze.

Plummy liep naar haar grootmoeder toe en sloeg een arm om haar schouder. Ze kuste de wang van de oude vrouw. 'Als u het mij later vertelt moet ik iedereen weer bij elkaar roepen om het hun te vertellen. Vertel het me dus nu maar,' fluisterde ze vriendelijk.

We wachtten allemaal: vijf zoons, drie echtgenotes, mijn twee meiden, Plummy, ik en Romeo. Matrassen? Brieven? We bogen ons als gehypnotiseerd naar haar toe. Niemand zei iets. Nu mochten er maar twee mensen praten: de oudste Cacciamani en de jongste. De oudste zei geen woord en

Plummy wachtte, ze liet haar oma aan de hengel kronkelen. Als dit een machtsstrijd was, dan had ik geen idee wie er zou winnen.

'Kom mee naar de veranda,' zei de oude vrouw zwakjes.

Plummy knikte en klopte de oude vrouw op haar hand alsof ze de politieondervrager was die wist dat er een getekende bekentenis zou volgen. Ze nam haar grootmoeder langs ons heen mee naar buiten de achterveranda op. In de andere kamer begon de accordeon weer te spelen. We wachtten.

'Hoe gaat het met je hoofd?' vroeg ik aan Romeo.

'Stom,' zei hij. 'Mijn hoofd is stom.'

'Doet het nog pijn?'

'Neuh, alleen mijn ribben nog een beetje als ik zucht. En Mort?'

Ik vertelde hem dat Mort hersteld was en vanmorgen weer naar Seattle was vertrokken.

Romeo glimlachte. 'Die vent heeft me een vuist,' zei hij met iets dat bijna bewondering leek.

We wachtten en wachtten. In de andere kamer begonnen de mensen weer te lachen. Ze waren ons vergeten. Ze waren de verjaardag vergeten. Ze waren hier voor een feestje en het deed er niet toe wiens feestje het was. Uiteindelijk liep Raymond naar het achterraam en keek naar buiten.

'Kun je iets zien?' vroeg Romeo.

'Oma zit in de stoel en Plummy staat een beetje over haar heen gebogen. Het lijkt er behoorlijk heftig aan toe te gaan. Ik kan niet zien wat ze zeggen.'

'Ik begrijp niet waarom we het haar op haar verjaardag moeilijk moeten maken,' zei Alan. Zijn aantrekkelijke Italiaanse vrouw stond naast hem te knikken.

'Omdat we niet terugkomen en dit volgende week nog eens doen,' zei Nora. 'Zo leuk is het niet.'

Ik bedacht me dat als de oude vrouw haar geheim niet aan Plummy wilde vertellen, Nora de volgende ronde voor haar rekening zou nemen. Dat zou een heel ander soort verhoor worden.

'Wat voor brieven?' vroeg Tony.

'Wacht, wacht!' Raymond liep bij het raam weg. 'Ze komt weer binnen.'

Ik stel me voor dat ik nu enig idee heb hoe een beklaagde zich voelt wanneer de jury de rechtszaal binnenkomt met een opgevouwen stuk papier. Plummy kwam alleen terug. Ze streek haar haar uit haar gezicht en draaide het in een knotje dat wonderbaarlijk genoeg zonder behulp van spelden op zijn plaats bleef zitten.

'Waar is oma?' vroeg Raymond.

'Ze blijft nog even buiten. Ze wilde wat frisse lucht.'

'Hoe zit het nou?' vroeg Nora. Meer dan iemand anders wilde Nora hier zo snel mogelijk weg.

'Het verhaal is als volgt.' Plummy leunde met haar armen gestrekt tegen het aanrecht achter haar. Ze sprak tegen Nora. 'Mijn grootmoeder en jouw grootvader hadden een liefdesrelatie.'

'Mijn grootvader?' Nora wees naar zichzelf.

'Om de dooie dood niet,' zei Joe.

Plummy stak haar hand op zonder naar hem te kijken. 'Alsjeblieft,' zei ze. 'Het is heel lang geleden. De Rosemannen hadden al wel hun winkel maar er was nog geen Romeo. Oma wilde opa verlaten voor meneer Roseman, die had beloofd dat hij mevrouw Roseman in de steek zou laten voor haar, maar op de dag dat ze er samen vandoor zouden gaan verbrak hij zijn belofte. Oma zei dat ze vreselijk boos was. Toen is onze familie een bloemenzaak begonnen om te proberen jullie familie te ruïneren, maar dat lukte niet helemaal. Tot nu toe werd er niemand geruïneerd. Ze vertelde nog een paar dingen maar dit is grofweg waar het op neerkomt.'

'Verwacht je dat ik dat geloof?' vroeg Raymond.

'Vraag het haar maar. Nu ze het eenmaal verteld heeft

durf ik te wedden dat ze het nog wel eens wil vertellen. Of lees de brieven onder het matras. Ze zijn behoorlijk heftig.'

'Maar ze haatte meneer Roseman,' zei Nicky. 'Ze haatte hem het ergst van allemaal.'

'Zo gaan die dingen soms,' zei Plummy bedachtzaam.

'Ik haat hem nog steeds,' zei de oude mevrouw Cacciamani. Ze stond in de deuropening en leek plotseling ouder dan haar negentig jaar. Haar blauwe broekpak was gekreukeld. Haar feesthoedje stond scheef. Het herinnerde ons eraan dat ze al negentig was. 'En tot mijn dood haat ik ze allemaal.'

Mijn vader? Dacht ik. Mijn vader en de Slechte Heks van het Westen? De vrouw die hij erger dan alle andere levende wezens haatte? Ik hoorde zijn stem nog duidelijk in mijn hoofd. Ik hoorde alle vreselijke scheldnamen die hij haar gaf. Ik moest toegeven dat van alle mogelijke verklaringen dit me de meest onwaarschijnlijke leek.

'Mama, weet je dit zeker?' vroeg Romeo.

'Natuurlijk weet ik het zeker. Wat denk je dan, dat ik niet weet op wie ik verliefd was?' Toen denderde ze met de verbazingwekkende kracht van een verliefde vrouw door de keukendeur en ging terug naar haar feestje. De deur zwaaide achter haar rug enkele keren open en dicht.

De rest van ons stond te luisteren naar de accordeonmuziek die door de muur klonk.

'Even recapituleren,' zei Nora en ze nam een slokje van een kom rode punch die op het aanrecht stond. 'Het betekent dus dat jullie jarige job verliefd was op mijn grootvader, mijn moeder is verliefd op jullie vader, en mijn zus is verliefd op jullie Tony.'

Sandy keek geschokt.

'Daar lijkt het wel op,' zei Plummy.

Nora vervolgde: 'Dus de basis van deze langdradige, eindeloze strijd is dat al drie generaties Cacciamani's en Rosemannen verliefd zijn op elkaar.'

Het duurde even voordat de aanwezigen deze informatie

hadden verteerd. Toen begon Nora te lachen en weldra lachte Sandy ook. Vervolgens deed Plummy mee. Ze legde haar hand over haar mond maar ze lachte. Op dat moment vond niemand van de anderen het nog grappig.

'Meneer Cacciamani,' zei Nora. 'Houd uw winkel maar. Beschouw me maar als uw goedgezinde huisbaas. En jij,' zei ze naar Joe wijzend. 'Zorg ervoor dat mijn moeder morgen weer bloemen krijgt. Nu wil ik hier dolgraag weg. Ik ga met mijn auto.' Ze keek naar Sandy en mij. 'Ik denk dat jullie wel thuis worden gebracht.'

Epiloog

Het verhaal eindigt met een bruiloft, nietwaar? Dat moet wel bij dit soort verhalen. Deze bruiloft vond plaats op de eerste dag van juli. Sommige mensen vonden het vreselijk snel, maar als ze eenmaal het hele verhaal kenden waren ze het ermee eens dat het eigenlijk nog lang geduurd had. Zo laat in de zomer waren er geen pioenrozen meer, maar de rozen waren prachtig. We hebben het over rozen uit de tuin, niet het soort dat je in winkels koopt. Toen we klaar waren leek het wel alsof we de hand op alle rozen in Massachusetts hadden weten te leggen. Romeo en ik deden alles samen. Zo kwamen we eigenlijk op het idee om onze winkels samen te voegen. We werkten fantastisch samen. Ik maakte het bruidsboeket. Ik had het idee dat het wit moest zijn allang achter me gelaten. In dat boeket gingen alle kleuren die ik kon vinden. Het was nog mooier dan het boeket dat ik had toen ik met Mort trouwde. De bruiloft vond plaats in mijn achtertuin. Er was een lekenrechter zodat niemand wat religie betreft voor het hoofd werd gestoten, maar pater Al was er ook en ik zag zijn lippen bewegen. Nora was eerste bruidsmeisje. Ze stond erop meisje genoemd te worden. Ze zei dat ze het niet zou verdragen om iemands bruidsvrouw te zijn. Joe was getuige. Tony en Sarah droegen de ringen en de bloemen. Het was een kleine bruiloft, voorzover je een Cacciamani-bruiloft tenminste klein kon noemen.

Tony en Sandy gingen op huwelijksreis naar Cape Cod. Niet bepaald Jamaica, maar ze wilden geld sparen om een huis te kopen. Voorlopig wonen ze bij mij. Ik heb meer ruimte.

Iedereen op de bruiloft vroeg wanneer Romeo en ik zouden gaan trouwen. Gloria eiste zelfs min of meer een antwoord. Maar voor ons is het niet zo belangrijk. We zouden zijn familie en mijn familie toch niet allemaal in één huis kunnen krijgen. Maar we zíjn samen, reken maar. Na verloop van tijd zal de rest ook wel zijn plaatsje krijgen.

Romeo zegt dat we samenwonen op het werk. De meeste stellen werken gescheiden maar wonen in één huis. Wij doen het net andersom. Het is druk nu we ook bruiloften en feesten organiseren. We zitten altijd samen in een winkel, de ene dag in die van hem, de volgende dag in die van mij. Voor we het wisten waren ze beide van ons samen. Het is nu Romeo en Julie. Twee lokaties om u beter van dienst te zijn.